Van zenuwachtig tot hyperactief

VAN ZENUWACHTIG TOT HYPERACTIEF
ANDERE KIJK OP ADHD

TIMO BOLT

uitgeverij
SWP

Van zenuwachtig tot hyperactief
Andere kijk op ADHD
Timo Bolt

ISBN 978 90 8850 111 1
NUR 740

VOORWOORD

ADHD is overal. Op een schoolplein hoorde ik een tijdje geleden dat een jongetje een ander jongetje uitschold voor 'vuile ADHD-er'. Vrijwel iedereen kent in zijn omgeving wel iemand die als ADHD-er te boek staat. Velen vragen zich af wat er aan de hand is met onze kinderen, of met hun ouders, onderwijzers en de samenleving als geheel. Zowel leken als deskundigen blijken vaak een kant en klare mening te hebben over de 'ADHD-epidemie'. Regelmatig is bijvoorbeeld te horen dat ADHD een mode-diagnose is, dat lastig gedrag veel te snel een medisch stempel krijgt en mensen tegenwoordig veel te snel geneigd zijn om problemen op te lossen met een pilletje. Ook wordt wel gesteld dat alle moeilijkheden ontstaan doordat ouders en leerkrachten niet meer weten hoe ze kinderen discipline moeten bijbrengen. Weer een andere opvatting luidt dat kinderen drukker zijn geworden, omdat de samenleving drukker is geworden en kinderen overvoert met prikkels en informatie. Ook zijn er optimistischer geluiden, bijvoorbeeld van medici en ouderverenigingen die spreken van *vooruitgang* in de medische wetenschap, diagnostiek en behandelpraktijk en de erkenning dat sommige kinderen niet 'vervelend' zijn, maar een 'hersenziekte' hebben.

Wie in dit woud van meningen zin van onzin wil kunnen scheiden, zou *Van zenuwachtig tot hyperactief* moeten lezen. De 'andere kijk' op ADHD uit de ondertitel, is een 'historische kijk'. De auteur, historicus Timo Bolt, plaatst de huidige ADHD-epidemie in het ruimere tijdskader van de geschiedenis en alleen dat al werkt verfrissend. Het zorgt voor enige afstand ten opzichte van de waan van de dag die zo vaak regeert. In dit boek beschrijft hij de boeiende (voor)geschiedenis van ADHD van circa 1900 tot nu. Hij baseert zich op grondig wetenschappelijk onderzoek, maar vervalt nooit in droge, stoffige uitweidingen of in academisch jargon. Het betoog wordt regelmatig opgeluisterd met illustratieve en vaak ook komische voorbeelden. De auteur bedrijft in dit boek geen geschiedenis louter om de geschiedenis zelf, maar nadrukkelijk om het inzicht in de actualiteit te vergroten. Hij doet dat door vier populaire visies op de huidige ADHD-epidemie kritisch tegen het licht te houden, samengevat als de 4 M'en: *Mode, Moderne tijd, Medische vooruitgang en Medicalisering*. Trefzeker, en met gevoel voor nuance en complexiteit, gaat hij de polemiek aan met deze visies. Deze kritische bespreking van de 4 M'en zorgt op een fraaie manier voor samenhang in het boek en bovendien voor een goede balans tussen verleden en heden. Zo is er ook voor elk wat wils: wie vooral geïnteresseerd is in het actuele ADHD-vraagstuk komt evengoed aan zijn trekken als wie vooral een historische belangstelling heeft.

Tot slot wil ik nog wijzen op het actuele maatschappelijke belang van dit boek. De ADHD-epidemie is geen geïsoleerd verschijnsel. De jeugdzorg als geheel heeft de laatste jaren te maken met een explosieve stijging van de hulpvraag. Mede daardoor is jeugdbeleid recentelijk uitgegroeid tot een politiek en maatschappelijk thema van de eerste orde. Het boek van Timo Bolt gaat niet alleen over het ADHD-vraagstuk, maar is ook een commentaar op deze bredere problematiek. Hij laat bijvoorbeeld zien dat het onjuist is om ADHD te reduceren tot een medisch probleem van individuele kinderen en hun ouders. Het is ook een maatschappelijk vraagstuk, betoogt hij terecht. Hij stelt daarbij onder andere dwingende vragen over het onderwijs – een belangrijke factor in de hele geschiedenis van ADHD – en over de eisen die in de huidige maatschappij aan kinderen worden gesteld.

Al met al is *Van zenuwachtig tot hyperactief* een zeer leesbaar, boeiend en belangrijk boek. Het is een absolute aanrader voor leken, ervaringsdeskundigen, professionals en beleidsmakers op het brede terrein van onderwijs, opvoeding en jeugdzorg. Timo Bolt won in 2009 samen met medeauteur Leonie de Goei de Martinus J. Langeveldprijs voor de meest inspirerende Nederlandstalige publicatie op het gebied van opvoeding, onderwijs en ontwikkeling van kinderen.

Prof. dr. Micha de Winter
Hoogleraar Maatschappelijke Opvoedingsvraagstukken Universiteit Utrecht

INHOUD

HOOFDSTUK 1: DE ADHD-EPIDEMIE EN DE GESCHIEDENIS[1]

De ADHD-epidemie

'ADHD is een volksziekte', kopte *NRC Handelsblad* op de voorpagina van 20 mei 2008. De laatste tien jaar is het aantal kinderen met de diagnose ADHD (*Attention Deficit Hyperactivity Disorder*, in het Nederlands: aandachtstekort hyperactiviteitstoornis) sterk gestegen, meldt het artikel. Vijf tot tien procent van de kinderen op basisschoolleeftijd zou tegenwoordig ADHD hebben.[2] Dit nogal alarmerende bericht is niet uit de lucht gegrepen. Sinds midden jaren negentig heeft ADHD een 'epidemische' ontwikkeling doorgemaakt. De explosieve toename van het gebruik van geneesmiddelen tegen ADHD spreekt wat dit betreft boekdelen. Het gaat hier vooral om *methylfenidaat*, beter bekend onder de merknaam Ritalin. In 1992 slikten naar schatting 1275 patiënten deze medicijnen, in 1999 waren dat er 31.000. Daarna is dit aantal verdrievoudigd tot 94.000 in 2008. Alles wijst erop dat in 2009 de grens van 100.000 patiënten is overschreden, al ontbreken de cijfers nog.[3]

Deze spectaculaire groeicijfers schreeuwen om een verklaring, vooral omdat het ADHD-concept omstreden is. Dit geldt ook voor de behandeling met methylfenidaat. Buiten en binnen de medische wereld bestaan grote twijfels of ADHD wel een zinvolle en wetenschappelijk voldoende onderbouwde diagnose is. Methylfenidaat is een amfetamine-achtig preparaat en daarom ook opgenomen in de opiumwet. Met andere woorden: kinderen krijgen massaal een diagnose waarvan de validiteit allerminst vaststaat en worden in veel gevallen daarvoor behandeld met een *heftig* medicijn. Dat roept allerlei vragen op. Bijvoorbeeld: zijn we niet bezig druk, enthousiast gedrag dat gewoon hoort bij kinderen – en vooral jongetjes[4] – te pathologiseren en te onderdrukken met pillen? En als het waar is dat er steeds meer 'probleemkinderen' zijn, ligt dat dan wel aan die kinderen zelf? Of weten ouders en leerkrachten tegenwoordig niet meer stevig op te treden? Of hebben ze eenvoudig geen tijd meer voor kinderen die lastiger zijn dan gemiddeld?

Zo zijn alle elementen aanwezig voor kritische media-aandacht en veel discussie onder politici, behandelaars, wetenschappers en in de samenleving als geheel.[5] Daarbij worden grofweg vier verklaringen voor de ADHD-epidemie gegeven. Deze worden in dit boek gemakshalve aangeduid als de 4 M'en: *mode*, '*moderne tijd*', *medische vooruitgang en *medicalisering.

Verklaringen voor de ADHD-epidemie: 4xM

Mode
Regelmatig is te horen, zowel aan de borreltafel als in serieuze publicaties, dat ADHD een modediagnose is. De relatief grote media-aandacht voor ADHD zou daarvan zowel een uiting als één van de belangrijkste oorzaken zijn. De frequente berichtgeving over ADHD bewijst volgens deze lezing niet alleen dat daar grote belangstelling voor bestaat, maar heeft ook bijgedragen tot een grote *naamsbekendheid*. Daardoor denken zowel leken als medici, zodra kinderen druk gedrag vertonen, al gauw aan ADHD. Het onvermijdelijke gevolg is, dat veel van deze kinderen daadwerkelijk in de medische molen terechtkomen. Hoezeer ADHD tegenwoordig op straat ligt, kan geïllustreerd worden aan de hand van een voorval in een Utrechtse winkel. Rutger-Jan van der Gaag, hoogleraar kinder- en jeugdpsychiatrie in Nijmegen vertelt: 'Een schoffie van een jaar of tien dringt pardoes voor in de lange rij bij de kassa. Er klinkt niets van "hé ken-je niet op je beurt wachte!" maar meteen zegt mijn buurdame "he je soms Adé Ha-dé jochie" met als gratis behandeladvies: "he je je Ritalin soms niet geslikt?"'[6]

Overigens is deze combinatie van factoren – veel media-aandacht, grote naamsbekendheid en een aanzienlijk aantal diagnoses – niet uniek. Bepaalde aandoeningen leken wel vaker enige tijd *in*. Daaruit volgt automatisch dat dergelijke modeziekten ook weer *uit* kunnen raken. Over Repetitive Strain Injury (RSI), de zogenaamde muisarm, is tegenwoordig veel minder te doen dan in de jaren negentig. Sommige mensen vragen zich af of over enkele decennia ook de hype rond ADHD voorbij is. Wellicht krijgen we dan hele andere, lagere cijfers te zien van het aantal diagnoses en van het geneesmiddelengebruik. Mogelijk is zelfs de hele term ADHD afgeschaft.[7]

'Moderne tijd'

Volgens een andere populaire opvatting is de toename van het aantal kinderen met ADHD het gevolg van de drukke maatschappij waarin we leven. Typerend is bovengenoemd artikel uit *NRC Handelsblad*, waarvan de ondertitel luidt: 'Moderne leven biedt minder ruimte aan afwijkend gedrag'. De teneur is, dat er in het drukke dagelijkse leven van twee werkende ouders geen ruimte is voor kinderen die extra aandacht en zorg vragen. Daarnaast zou de moderne levensstijl de kans vergroten dat kinderen met aanleg voor ADHD die stoornis ook echt krijgen: 'De drukte, de hoeveelheid prikkels van computerspelletjes, televisie en ander lawaai neemt toe. Het gesjouw naar school, de naschoolse opvang, naar afspraken. Zelfs in een dorp spelen kinderen zelden nog de hele dag onbevangen thuis of op straat'.[8]

Medische vooruitgang

Uit de medische hoek klinkt vaak een veel minder somber geluid. Verschillende artsen betogen dat er niet zozeer meer ADHD-kinderen zijn dan vroeger, maar dat we tegenwoordig beter en eerder in staat zijn om te herkennen dat een kind ADHD heeft. Dankzij de medische vooruitgang zouden steeds meer kinderen met deze stoornis de hulp en behandeling krijgen die ze nodig hebben. Het aantal diagnoses en het gebruik van geneesmiddelen als Ritalin® mag volgens deze medici nog flink doorstijgen. Er zouden nog veel kinderen – en ook volwassenen – rondlopen die ADHD hebben, maar bij wie dat nog niet is vastgesteld.[9]

Medicalisering

In de sociologische en historisch-pedagogische literatuur geldt ADHD als voorbeeld bij uitstek voor de medicalisering van afwijkend gedrag van kinderen. Medicalisering is geen neutraal begrip, maar wordt in kritische zin gedefinieerd als 'de expansie van de medische wereld in de sfeer van sociale problemen en menselijk gedrag, waarbij de grenzen van haar bewezen technische competentie overschreden worden'.[10] Met andere woorden: artsen zijn zich gaan bemoeien met zaken waar ze eigenlijk geen verstand van hebben. Als gevolg hiervan zijn mensen nodeloos afhankelijk gemaakt van professionele hulpverleners en medicijnen. De *sociale* oorzaken van probleemgedrag bij kinderen zijn uit het oog verloren: de moeilijkheden in de gezins- of schoolsituatie en de misstanden in de maatschappij of het schoolsysteem als geheel.

Zowel medici, ouders als onderwijzers zouden er belang bij hebben gehad, de overbeweeglijkheid, impulsiviteit en slechte aandachtsconcentratie van kinderen van een medisch etiket te voorzien. Sociologen stellen, dat psychiaters en andere artsen op deze manier hun invloed konden uitbreiden tot het opvoedkundige domein. Voor ouders zou de pathologisering van het (wan)gedrag van hun kind hebben betekend, dat zowel zijzelf als hun kind daarvoor niet langer verantwoordelijk werden gehouden. Bovendien zou een medische diagnose extra aandacht en voorzieningen voor het kind gelegitimeerd hebben. Onderwijzers zouden hun toevlucht nemen tot een medische verklaring voor de overlast die sommige leerlingen gaven, omdat ze daarmee hun ordeproblemen konden oplossen. Ook overheden, verzekeraars en farmaceutische bedrijven hebben volgens sociologen bijgedragen aan de medicalisering van afwijkend kindergedrag. Zij leggen echter het meeste accent op de interactie tussen medici, ouders en onderwijzers. Zij benadrukken vooral de rol van de laatste groep, zoals in de loop van dit boek zal blijken.[11]

Medicalisering in tweevoud; nature versus nurture

Het begrip medicalisering wordt niet alleen gebruikt om de uitbreiding van de macht en het werkterrein van medici aan te duiden. Het verwijst ook naar de neiging om psychische en gedragsproblemen te wijten aan een *biologische* oorzaak. Vooral sinds de jaren negentig, ook wel bekend als 'het decennium van het brein', is volgens critici het biologisch-medische denken in de geestelijke gezondheidszorg doorgeslagen. Psychiaters en psychologen zouden alle stoornissen die ze tegenkomen eenzijdig opvatten als een – meestal genetisch – defect in de hersenen, dat het beste met medicijnen kan worden behandeld. Psychosociale factoren en oplossingen zouden hierdoor veronachtzaamd zijn.[12]

Deze tweede betekenis van medicalisering is sterk verweven met de eerste, maar om analytische redenen is het nuttig ze uit elkaar te houden. Medicalisering in de eerste zin gaat vooral over de almaar groeiende invloed van de medici en de uitdijende gezondheidszorg. Medicalisering in de tweede betekenis heeft betrekking op een meer inhoudelijke kwestie: de verhouding tussen aanleg en milieu, ofwel tussen *nature* en *nurture*. In hoeverre is ADHD het gevolg van een lichamelijke oorzaak of juist van omgevingsinvloeden, variërend van een slechte opvoeding tot de hectiek van de moderne samenleving?

Van zenuwachtig tot hyperactief

Een populaire zienswijze is dat de opvattingen hierover in de loop van de tijd als het ware heen en weer pendelen. Periodes met een sterkere oriëntatie op *nature* en periodes waarin het accent vooral op *nurture* ligt, wisselen elkaar af. Na de Tweede Wereldoorlog, en vooral in de jaren zestig en zeventig, domineerden allerlei psychologische theorieën, zoals Freuds psychoanalyse, in de kinderpsychiatrie. Het accent lag sterk op de rol van de opvoeding en op psychtherapeutische behandeling. Volgens critici kregen ouders vaak de schuld van de stoornissen van hun kinderen. Rond 1980 kwam er een kentering. Kinderpsychiaters namen afstand van de in hun ogen onwetenschappelijke psychoanalyse en probeerden hun vak een *medischer* aanzien te geven door zich meer te richten op erfelijkheids- en hersenonderzoek en behandeling met medicijnen. Deze zogenaamde *biological turn* heeft volgens veel mensen bijgedragen aan het ontstaan van de ADHD-epidemie. Die zou weer als sneeuw voor de zon kunnen verdwijnen als de pendel weer terugbeweegt van *nature* naar *nurture*! [13]

De geschiedenis van ADHD

De geschiedenis als grote afwezige in het ADHD-debat

De 4 M'en – of eigenlijk 5 M'en als we medicalisering dubbel tellen – raken aan fundamentele vragen als: Bestaat ADHD eigenlijk wel? Is het wel een ziekte? Als ADHD een modeverschijnsel of voorbeeld van medicalisering is, dan zou een ontkennend antwoord op deze vragen voor de hand liggen. Gaan we uit van medische vooruitgang of de negatieve gevolgen van modernisering, dan is er meer reden om ADHD als reële stoornis te zien. Dan weten we nog niet met wát voor stoornis we te maken hebben. Moeten we het zoeken in de hersenen en de genen? Moeten we dus ook het massale slikken van Ritalin® toejuichen? Of is ADHD eerder een opvoedingsprobleem, of zelfs een maatschappelijk vraagstuk? Moeten we dus geen pillen voorschrijven, maar veel beter kijken naar de moderne levensstijl, de manier waarop ouders en onderwijzers met kinderen omgaan en naar ons onderwijssysteem?

Een definitief antwoord op deze vragen is er niet en zal er misschien nooit komen. Dat de waan van de dag tegenwoordig lijkt te regeren, helpt daarbij niet echt. Er is één opvallende afwezige in het ADHD-debat in binnen- en buitenland: de geschiedenis. Dat is opmerkelijk, omdat de bezorgdheid over hyperactief gedrag, impulsiviteit en aandachtstekort allesbehalve nieuw is. De afgelopen honderd jaar deden voorlopers van ADHD als 'zenuwachtigheid', 'ongedurigheid' en 'MBD' (*Minimal Brain Damage* dan wel *Minimal Brain Dysfunction*) regelmatig van zich spreken. Evenals ADHD waren deze stoornissen controversieel en golden als veel voorkomend. Er is alle reden om aan te nemen dat deze geschiedenis een fraaie spiegel kan vormen voor het ADHD-vraagstuk van vandaag. Het gebrek aan aandacht daarvoor is verbazingwekkend, zoals ook de Amerikaanse socioloog Adam Rafalovich constateert. Hij vroeg zich in 2004 al af hoe het in 's hemelsnaam mogelijk is dat het verschijnsel ADHD enerzijds volop in de belangstelling staat, terwijl er anderzijds nauwelijks oog is voor de geschiedenis ervan.[14]

Opbouw van dit boek
Dit boek is een bescheiden poging om hieraan iets te doen. Uitgangspunt is, dat een historische blik echt iets kan toevoegen aan de actuele discussies over ADHD. In de hoofdstukken 2 tot en met 5 wordt de geschiedenis van deze stoornis gedurende een periode van ruim een eeuw beschreven, onderverdeeld in vier tijdvakken. In hoofdstuk 2 komt het eerste tijdvak van 1890 tot 1930 aan de orde. Dit gebeurt aan de hand van twee van de eerste voorlopers van ADHD: het 'moreel-ethische defect' en 'zenuwachtigheid'. Hoofdstuk 3 beslaat de periode van 1930 tot 1960, waarin kinderen met ADHD-achtige symptomen werden aangeduid als 'ongedurig' of 'nerveus'. Hoofdstuk 4 behandelt het tijdvak 1960-1980 en het toen in zwang zijnde MBD-concept. In hoofdstuk 5, dat loopt van 1980 tot heden, worden ADD en ADHD besproken.

Nadat aldus de verschillende stoornissen van 'zenuwachtigheid tot hyperactiviteit', zoals de titel van dit boek zegt, in chronologische volgorde zijn beschreven en in hun context zijn geplaatst, komt hoofdstuk 6 terug op de 4 M'en. Daarbij zal de leidende vraag zijn: wat leert de geschiedenis over ADHD als modeverschijnsel, of als product van de moderne tijd, van medische vooruitgang, dan wel medicalisering? Geen van de 4 M'en zullen de toets der kritiek helemaal kunnen doorstaan, zonder dat ze daarmee overigens irrelevant worden. In de slotparagraaf van dit zesde en laatste hoofdstuk worden de bevindingen samengevat in een conclusie over de 4 M'en. Daarna laat de auteur zijn afstandelijke rol als historicus varen en geeft hij zijn persoonlijke visie op het huidige ADHD-vraagstuk. Daarbij zal hij, onder andere, een vijfde 'M' introduceren.

De lezer moet niet het ultieme antwoord op alle vragen rondom de ADHD-epidemie verwachten, maar wel een historisch geïnspireerde duiding van dit opmerkelijke fenomeen. En omdat de geschiedenis vooralsnog grotendeels is genegeerd in het debat hierover, mag de lezer er vanuit gaan dat deze historische duiding wezenlijk bijdraagt aan een groter inzicht in deze actuele kwestie.

HOOFDSTUK 2: MOREEL-ETHISCH DEFECT EN ZENUWACHTIG (CA. 1890-1930)

Inleiding

Wie de historie van welk onderwerp dan ook wil beschrijven, zal op zoek moeten gaan naar een geschikt beginpunt. Voor de geschiedenis van ADHD is dit beginpunt opmerkelijk gemakkelijk te vinden. Rond 1900 doken in de medische vakliteratuur voor het eerst ziektebeelden op die sterk overeenkomen met de huidige ADHD. De meest bekende is *moral deficiency*, in 1902 geïntroduceerd door de Britse kinderarts Sir George Frederick Still. In een serie beroemd geworden lezingen besprak Still twintig casussen van kinderen met een 'gebrek aan morele zelfbeheersing'. Dit kwam onder andere tot uiting in extreme rusteloosheid en een abnormaal onvermogen om de aandacht vast te houden. Anders dan het begrip *moral* deficiency wellicht doet vermoeden, was de onderliggende oorzaak volgens Still een organische stoornis in de hersenen. [1]

Stills *moral deficiency* wordt vaak de eerste voorloper van ADHD genoemd, maar dit is arbitrair. Ongeveer tegelijkertijd – en misschien wel iets eerder – deden verschillende vergelijkbare ziekteconcepten hun intrede, zoals het Franse *instabilité* (instabiliteit) en het Duitse *nervösität* (zenuwachtigheid). [2] Het is buitengewoon interessant dat deze nieuwe ziektedefinities rond 1900 in West-Europa en de Verenigde Staten voet aan de grond kregen. Voordien zullen er toch ook wel 'lastige' kinderen zijn geweest, maar blijkbaar werd hun gedrag in vroeger tijden nog niet met medische termen aangeduid. Daar was ook niet direct reden toe: het gaat hier om kinderen die niet zwakzinnig, ernstig psychiatrisch gestoord of anderszins duidelijk ziek of gehandicapt waren. Het lag daarom voor de hand om de problemen die deze kinderen opleverden, op te vatten als opvoedkundige of zedelijke kwestie – als een probleem dat niet door een arts, maar door de ouders, andere opvoeders en eventueel de priester of de dominee opgelost zou moeten worden. Pas aan het einde van de negentiende eeuw vatte de gedachte post, dat er sprake was van een lichamelijke stoornis. In sociologische optiek begon zich toen een proces van medicalisering (zie hoofdstuk 1) af te tekenen. Dat gebeurde in een context die in veel opzichten doet denken aan de huidige tijd. Zo was er een eeuw geleden net als tegenwoordig veel bezorgdheid over de (vermeende) toename van het aantal 'probleemkinderen'. En evenals nu bracht men dit in verband met de moderne tijd. Verder droeg het gestegen prestige van de medische wetenschap bij aan een grotere acceptatie van medische verklaringen en oplossingen. Sommige commentatoren deden echter alle ophef over gedragsgestoorde kinderen af als modieuze prietpraat.

De vier M'en uit het eerste hoofdstuk – mode, moderne tijd, medische vooruitgang en medicalisering – zijn dus niet alleen relevant voor het huidige ADHD-vraagstuk, maar ook voor de periode rond 1900. Hoe dit precies zat wordt in dit hoofdstuk besproken aan de hand van de twee eerste voorlopers van ADHD in Nederland: het moreel-ethische defect en zenuwachtigheid.

Moreel-ethisch defect

Een speciale vorm van 'achterlijkheid'?
Op 14 juni 1912 hield de psychiater en latere hoogleraar Karel Herman Bouman bij de Amsterdamse afdeling van het Nederlands Onderwijskundig Genootschap een voordracht over 'lastige en ondeugende kinderen'. Hij maakte van deze gelegenheid gebruik om een vrijwel letterlijke Nederlandse vertaling te geven van de ideeën van Still over *moral deficiency*. Hij sprak over kinderen met 'nerveuse' symptomen, zoals een sterkere lichamelijke reactie op psychische prikkels, gevoeligheid en snelle prikkelbaarheid, gemis aan voldoende remmingen, afleidbaarheid en een snelle wisseling van de aandacht.[3] Evenals Still legde Bouman echter niet de meeste nadruk op deze 'ADHD-achtige' symptomen, maar op een reeks immorele gedragingen: weerspannigheid, ongezeggelijkheid, prikkelbaarheid, neiging tot vagebondage, straatschenderijen, baldadigheid en criminaliteit. Bouman gebruikte het begrip 'misdadig' zelfs als synoniem voor 'lastig en ondeugend'. Zijn lezing ging over een categorie kinderen bij wie het 'abnormale karakter' niet het gevolg was van gebrekkige verstandelijke vermogens, maar van een 'moreel-ethisch defect'. Daardoor bleven de 'hooger georganiseerde remmen' achterwege, met als gevolg dat de oorspronkelijke instinctieve ge-

Van zenuwachtig tot hyperactief

voelens meer vrij spel hadden dan bij kinderen met een normale karakter-ontwikkeling.[4]

De opvattingen van Bouman en Still kwamen voort uit een al langer bestaande belangstelling bij medici voor het fenomeen zwakzinnigheid. Verondersteld werd dat een kind in zijn ontwikkeling van zuigeling tot volwassene als het ware versneld de verschillende fasen van de evolutie van de mens doorliep. In het verlengde hiervan meende men dat bij verstandelijk 'minderwaardigen' dit proces in een vroeger of later stadium stagneerde. Bij 'idioten' bleef de verstandelijke ontwikkeling vrijwel volledig achterwege. Zelfs het zeer vroege stadium waarin jonge kinderen leerden fysiek gevaar te vermijden, was voor hen te hoog gegrepen. Idioten moesten daarom voortdurend bewaakt en verpleegd worden. 'Imbecielen' konden wél leren om fysieke bedreigingen als gevaarlijk bewegende objecten te vermijden, maar waren niet in staat onderwijs te volgen of adequaat werk te vinden. Zij zouden daardoor altijd van anderen afhankelijk blijven. Boven de imbecielen stonden, evolutionair gezien, de debielen, die vergelijkbaar zijn met de zwakbegaafden van tegenwoordig. Voor hen werd ook dikwijls het begrip 'achterlijk' gebruikt.[5]

Op basis van dit evolutionaire perspectief betoogden veel auteurs dat een gebrekkige verstandelijke ontwikkeling ook een achterstand op ethisch gebied met zich meebracht. Still stelde bijvoorbeeld dat morele zelfbeheersing alleen mogelijk was, wanneer er sprake was van een cognitieve relatie met de omgeving.[6] Essentieel bij de vorming van een zedelijk karakter was het aanleren van het vermogen om (verkeerde) driften, impulsen en neigingen te beheersen. Juist daar waren 'achterlijke kinderen' niet toe in staat. De psychiater en latere hoogleraar G. Jelgersma verwoordde het zo: 'Het verschil tussen den achterlijken mensch en den normalen is nu niet, dat aan den laatsten lagere gevoelen zouden ontbreken, maar bestaat hierin, dat bij de normalen mensch naast de eenvoudigere, lagere gevoelens ook de hoogere voorkomen en dat deze bij den achterlijken mensch ontbreken. De achterlijken mensch wordt in zijn doen en laten door zijne eenvoudige gevoelens beheerscht en bij den normalen mensch grijpen de hoogere gevoelens wijzigend en verzachtend op de handelingen van de persoon in'.[7]

Steeds meer artsen die zich met deze materie bezighielden, onder wie Still en Bouman, constateerden echter dat er ook kinderen waren met een normaal intellect, die toch hetzelfde gebrek aan morele zelfbeheersing vertoonden als veel 'achterlijken'. Deze kinderen hadden, zo werd gesteld, weliswaar alle stadia van de cognitieve ontwikkeling doorlopen, maar niet het laatste ethische stadium van de geestelijke evolutie. Zo werd een nieuwe categorie achterlijken geïdentificeerd waarvoor in Groot Brittannië de term *moral imbecility* werd gebruikt. De concepten van Still en Bouman sloten hier nauw bij aan.[8]

Still en Bouman zagen de *moral deficiency* respectievelijk het *moreel-ethisch defect* niet als afzonderlijk ziektebeeld.[9] Het was volgens de laatste wel 'de meest in het oog springende bijzonderheid', maar toch slechts deel van een groter 'psychopatisch geheel'.[10] Bouman benadrukte dat *verschillende* stoornissen ten grondslag konden liggen aan het moreel-ethische defect: 'Want evenals domheid heeft ook de ondeugd in den grond zeer verschillende oorzaken. Hoe hooger georganiseerd de psychische functies zijn des te meer zijn zij onderhevig aan variabiliteit en de hoeveelheid variaties, welke bij ontwikkelingsstoornissen van het karakter worden aangetroffen, zijn uiterst talrijk'.[11] Ter illustratie van deze variabiliteit besprak Bouman vijf verschillende 'abnormale karaktertypen', in oplopende graad van moeilijke opvoedbaarheid: de infantielen, de nerveusen, de ongeremden, de moreel-zwakzinnigen en de explosieven. Met deze vijf groepen kinderen deed hij naar eigen zeggen slechts een greep uit 'de groote menigte variaties op dit gebied'.[12] De twintig casussen uit de befaamde lezingenreeks van Still waren van een vergelijkbare diversiteit. De conclusie lijkt gerechtvaardigd dat Still en Bouman niet een ziektebeeld aan de orde stelden, maar een breed spectrum van afwijkend gedrag bij kinderen met normale intellectuele vermogens.[13]

Is het wel een voorloper van ADHD?

Als we het voorgaande samenvatten, dan spraken Bouman en Still niet over een welomschreven stoornis, maar over een heterogene groep kinderen met een achterblijvende of gestoorde ontwikkeling van het *karakter* (en niet van het verstand). Daarbij lag het accent niet op hyperactief gedrag, maar op immoraliteit en criminaliteit. Bij nader inzien is de gelijkenis tussen de concepten van Still en Bouman en de ADHD van nu dus oppervlakkig. De overeenkomsten, voor zover die er zijn, komen voort uit het pedagogische klimaat dat rond 1900 heerste. De ontwikkeling van een goed, deugdzaam karakter gold als hoofddoel van de opvoeding. De algemene overtuiging was, dat het kind daarvoor bovenal zelfbeheersing moest leren; het moest zijn 'lagere' gevoelens, driften en impulsen leren beteugelen. Tegen deze achtergrond is het niet verwonderlijk dat 'morele zelfbeheersing' en de 'hooger georganiseerde remmen' volgens Still en Bouman behoorden tot de hoogste geestelijke vermogens, de meest recente verworvenheden in de evolutie van de mens. Zij beschreven kinderen met een moreel-ethisch defect daarom ook als kinderen met een gebrek aan zelfbeheersing, met andere woorden: als impulsief, ongeremd en snel afgeleid. Dit zijn symptomen van ADHD, die tegenwoordig wordt opgevat als stoornis in de inhibitie (remming) van gedrag. Het gebrek aan 'rem' is dus wat de kinderen met ADHD van nu en de moreel-ethisch defecte kinderen van honderd jaar geleden verbindt, maar veel verder kan de vergelijking niet worden getrokken.[14]

Toch zijn de lezingen van Still en Bouman van betekenis voor de geschiedenis van ADHD. Zij markeren het begin van de structurele medische belangstelling voor afwijkend gedrag bij kinderen. Weliswaar werd geen duidelijk afgebakende stoornis omschreven (dus ook nauwelijks een 'voorloper' van ADHD), maar Bouman, Still en veel tijdgenoten definieerden wel een nieuw onderwerp voor medische studie. In hun voordrachten presenteerden ze niet de ontdekking van een nieuw ziektebeeld, maar hielden ze een hartstochtelijk pleidooi voor meer wetenschappelijk onderzoek naar een nog grotendeels onontgonnen onderzoeksgebied.[15] Daarmee riepen Bouman en Still en hun tijdgenoten in feite op tot uitbreiding van het medische domein met een nieuwe categorie kinderen. Kennis en concepten die aanvankelijk alleen betrekking hadden op zwakzinnigheid, en ook wel op epilepsie, werden toegepast op kinderen die niet zwakzinnig of epileptisch waren, maar 'immoreel' gedrag vertoonden. Ondanks de afwezigheid van een duidelijke 'ziekte' of verstoorde verstandelijke ontwikkeling, twijfelden Bouman en Still er niet aan dat de kinderen over wie zij spraken, een organische en meestal ook erfelijke stoornis hadden.[16]

Moderne problemen
Boumans ideeën stonden niet op zichzelf in Nederland. Zijn concept van het moreel-ethische defect dook niet vaak op in de bronnen en literatuur uit het begin van de twintigste eeuw. Dat gold wel voor begrippen die hij zelf als min of meer synoniem gebruikte, zoals '(constitutionele) psychopathie' en 'karakterstoornis'. Deze termen werden dikwijls toegepast op een specifieke groep probleemkinderen waar toentertijd veel om te doen was: de 'onmaatschappelijke kinderen'.[17]

De discussies hierover vonden, evenals die in het buitenland over vergelijkbare groepen kinderen, plaats in de context van de modernisering van de samenleving. Aan het einde van de negentiende eeuw begonnen de ongewenste gevolgen van de industrialisering duidelijk merkbaar te worden. De steden konden de sterke groei van hun inwonertal nauwelijks aan. Voor nieuwkomers, werklozen, paupers en ongeschoolde arbeiders bestond nauwelijks fatsoenlijke huisvesting. De aanwas van deze stedelijke onderklasse leidde volgens veel burgers uit de midden- en hogere klasse tot het welig tieren van alcoholmisbruik, prostitutie, geslachtsziekten en criminaliteit. Het aantal 'maatschappelijk ongeschikten' nam volgens veel artsen, psychiaters en andere commentatoren toe, omdat de moderne beschaving een negatief effect had op de kwaliteit van de bevolking. Zij meenden dat de natuurlijke selectie binnen de menselijke soort werd ondermijnd door de vooruitgang in de geneeskunde, de zorg voor de zwakkeren en doordat mensen uit de laagste, 'minderwaardige', sociale klassen doorgaans meer kinderen kregen dan mensen uit beschaafdere sociale milieus. Deze denktrant werd onder andere gevolgd door de eerste hoogleraar psychiatrie in Nederland, C. Winkler. In 1893 stelde hij dat de moderne geneeskunde en hygiëne 'tegen één sterke, tienmaal zoveel zwakkeren in 't leven houdt en hen in staat stelt zich voort te planten'.[19] [20]

De verontrusting over het zedelijk verval van de natie uitte zich onder andere in een grote belangstelling voor probleemkinderen. Hoewel dat niet werd bevestigd door de misdaadstatistieken, was de algemene overtuiging dat de jeugdcriminaliteit hand over hand toenam. In allerlei publicaties klonk de klacht dat de jeugd, met name in de lagere sociaal-economische milieus, was losgeslagen. In deze context werd probleemgedrag bij kinderen een belangrijk object voor medische studie en konden ziektebeelden als *moral deficiency*, *instabilité* en ook het *moreel-ethische defect* ontstaan.[21]

Tegen deze achtergrond is het ook niet verwonderlijk dat deze stoornissen vooral werden geassocieerd met de lagere sociaal-economische milieus. Volgens Still, Bouman en anderen waren mensen uit de onderklasse veelal teruggevallen naar een eerder stadium van de evolutie van de mens. Hun minderwaardige aanleg werd vervolgens overgeërfd door hun kinderen, die daardoor vaker gedragsstoornissen hadden. Alex F. Tredgold, een landgenoot en geestverwant van Still, voegde hier nog aan toe dat deze minderwaardige aanleg niet het *gevolg* was, maar juist de *oorzaak* van de beroerde omstandigheden in de sloppenwijken.[22] Enige ideologische vooringenomenheid was deze medici dus niet vreemd. Dit roept de vraag op in hoeverre dit vandaag de dag anders is: ook ADHD wordt relatief vaak vastgesteld bij kinderen uit de lagere sociaal-economische klassen (zie hoofdstuk 5 en 6).

Moderne oplossingen

De processen van modernisering, industrialisatie en verstedelijking leidden niet alleen tot bezorgdheid over 'zedenverwildering'. Tegelijkertijd werd positiever dan voorheen gedacht over overheidsingrijpen. Ook was het vertrouwen toegenomen in de bijdrage die de medische wetenschap kon leveren aan de bestrijding van criminaliteit en immoraliteit. De industriali- sering, de wonderen van stoomkracht en elektriciteit hadden de macht van de wetenschap aangetoond. Ook de geneeskunde kon op grote successen bogen, zoals de ontdekking van ziekmakende micro-organismen en bui- tengewoon effectieve hygiënische maatregelen. Veel mensen namen daarom een ambivalente houding aan ten opzichte van de moderniteit. Enerzijds meende men dat door de snelle modernisering veel problemen waren ont- staan, anderzijds was er het geloof dat die problemen ook weer met mo- derne, wetenschappelijke middelen opgelost konden worden.

Vooral in Nederland, dat minder dan Frankrijk en Duitsland in de greep was van cultuurpessimisme en *fin-de-siècle stemming*, overheerste dit maak- baarheidsoptimisme. Dat ging gepaard met de nodige, onder andere op het kind gerichte dadendrang. In de jaren 1890 werden bijvoorbeeld de Kinder- bescherming en verschillende organisaties ter bestrijding van jeugdcrimina- liteit opgericht. Ook werden de Kinderwetten (de Burgerlijke Kinderwet, de Strafrechtelijke Kinderwet en de Kinderbeginselenwet, 1901-1905) en de Leerplichtwet (1900) aangenomen. Op deze manier ontstond er naast een maatschappelijk draagvlak, ook een wettelijk en organisatorisch kader voor de bemoeienis van professionals, onder wie medici, met kinderen.[23]

De benadering van onmaatschappelijke kinderen kreeg in Nederland zo een heel eigen gezicht. Enerzijds werden zedelijke en gedragsproble- men niet minder dan in het buitenland toegeschreven aan een 'ziekelijke aanleg'. Anderzijds verhinderde dit biologistische erfelijkheidsdenken niet dat pedagogen, artsen, politici en juristen zich nadrukkelijk en met het no- dige optimisme richtten op het *milieu*. De opvoeding van een kind tot een deugdzame volwassene, zelfs als sprake was van een ongunstige aanleg, gold als mogelijk én als noodzakelijk. Dit ging volgens Bouman ook op voor moreel-ethisch defecte kinderen. Al hadden zij in zijn ogen een organische ziekte en vormden zij een 'niet te onderschatten gevaar voor de maatschappij', er viel 'onder gelukkige milieu-omstandigheden nog veel te redden. Men behoeft slechts in ernst de organisatie van hun opvoeding ter hand te nemen om al het goede dat in hen is, al die bandelooze energie, persoonlijke moed en onbuigzame wilskracht enzovoort tot maatschappelijke deugden te vervormen'.[24]

Deze typisch Nederlandse sociaal-biologische benadering was gebaseerd op het uitgangspunt dat kinderen door en door ontvankelijk waren voor invloeden uit de omgeving. Wanneer het mis ging met een kind, ziekelijke aanleg of niet, dan moest dit wel aan het opvoedingsmilieu liggen. De alom geconstateerde ontsporing van de jeugd werd dan ook vooral toegeschreven aan slechte ouders. Zo kreeg het beeld van verwaarlozende ouders rond 1900 'mythologische proporties'.[25] Dat lag voor een deel aan de stands-vooroordelen die kinderbeschermers en onderzoekers hadden tegenover de lagere sociale klassen. Daarnaast droeg de overdreven nadruk op plichtver-zakende ouders bij aan de legitimatie van ingrepen in de privésfeer van het gezin, die lang onaantastbaar was geweest voor interventies van buitenaf. Juist van die interventies – variërend van het geven van opvoedingsadviezen aan de ouders tot het uit huis en in een gezonde opvoedingssituatie plaatsen van kinderen – werd veel verwacht tot heil van individuele kinderen en ter bescherming van de samenleving.[26]

School en leerplicht
Het lag voor de hand dat medici en bezorgde burgers hun aandacht in het bijzonder richtten op probleemkinderen. Die waren namelijk gemakkelijker bij te schaven dan criminele en onbeschaafde volwassenen. Met de school was bovendien een uitgelezen instrument voorhanden waarmee kinderen uit de onderklasse tot deugdzame burgers opgevoed zouden kunnen wor-den. Dit wordt in de secundaire literatuur aangemerkt als het belangrijkste motief achter de invoering van de leerplicht.

De invoering van de leerplicht was volgens veel historici en sociologen van niet te onderschatten betekenis voor de medicalisering van afwijkend kindergedrag. Ze redeneren daarbij als volgt:

In Nederland ging, voordat de Leerplichtwet in 1901 in werking trad, ongeveer negentig procent van alle kinderen naar de lagere school. Tot de resterende tien procent behoorde een relatief groot aantal zorgenkindjes, die om uiteenlopende redenen niet geschikt waren voor school. In 1902 klonk in een pedagogisch tijdschrift de verzuchting: '*En nu de nieuwe wet tot school-*

gaan dwingt, kan geen moeder een stumperdje thuis houden, om het daaraan te onttrekken, indien het overigens gezond is'.[27] Onderwijzers kregen niet alleen te kampen met overvolle klassen, maar daarin zaten bovendien relatief veel *moeilijke* leerlingen. Door dit 'gigantische managementprobleem' nam bij leerkrachten de behoefte toe aan ondersteuning van anderen, onder wie artsen en psychiaters. Die hulptroepen hielden zich in eerste instantie bezig met het uitselecteren van kinderen die verstandelijk te beperkt waren om mee te kunnen op school. Spoedig richtte de aandacht zich ook op kinderen die opvielen vanwege hun drukke gedrag en slechte aandachtsconcentratie. Op deze manier maakte de leerplicht kinderen met ADHD-achtig gedrag zichtbaar als een nieuwe categorie probleemkinderen, en dus ook als een nieuw object voor medische studie en bemoeienis. Vooral voor psychiaters was dit een aantrekkelijke manier om hun werkterrein uit te breiden.[28]

In werkelijkheid had de leerplicht echter *geen* direct medicaliserend effect. Uit historisch-pedagogisch onderzoek van vooral Nelleke Bakker blijkt, dat de psychiatrische visie op druk en lastig kindergedrag vóór 1930 nauwelijks invloed had in de onderwijswereld. Leerkrachten ervoeren wel degelijk ordeproblemen, mede door de invoering van de leerplicht, maar die dreven hen niet als vanzelf in de armen van medici. In plaats daarvan zochten onderwijzers het in opvoedkundige verklaringen en oplossingen. In de toenmalige pedagogische literatuur werd betoogd dat veel moeilijk hanteerbare leerlingen vooral nog moesten wennen aan de schoolomgeving en -discipline, die zo sterk afweken van hun thuissituatie. Met tact, opvoeding, geduld en kalme leiding zouden deze kinderen langzamerhand wel in het gareel komen. Onderwijzers en pedagogen meenden dus, dat ze de moeilijkheden wel zelf aan konden pakken. Daar hoefde geen arts of psychiater tussen te zitten.[29]

Dit frustreerde psychiaters enigszins. De eerdergenoemde Klaas Herman Bouman klaagde in 1912 dat er een zogenaamde 'strenge school' was opgericht zonder dat 'den medicus-psychiater' daarbij was betrokken. Zijn voordrachten in de onderwijswereld waren ook geen bewijs van, maar een *oproep tot* een grotere inbreng van psychiaters. Hij waarschuwde dat straf of het dreigen ermee bij veel kinderen met gedragsproblemen geen enkel effect had, omdat er sprake was van een endogeen, medisch probleem. Pedagogische maatregelen – 'de plak en de roe' – konden daarom alleen maar tot 'ontgoochelingen' leiden.[30] Bouman sloot daarmee aan bij de internationale medische opinie dat straf of het dreigen ermee geen enkel effect hadden bij kinderen met *moral deficiency* of *instabilité*. Dat werd ook gezien als dé eigenschap waaraan deze kinderen herkend konden worden; want juist op dit punt waren zij 'anders' dan kinderen die *gewoon* lastig waren, zonder medische oorzaak.[31]

Bouman zette zijn kritiek op onderwijzers en pedagogen kracht bij met een verwijzing naar de Groten uit de geschiedenis: 'Vanuit een hedendaagsch standpunt bekeken kan men stellig de jeugd van menig Geuzenzoon en Hollandsch zeeheld of koopvaardijvaarder niet als braaf en oppassend betitelen. Gelukkig voor hen en voor ons hebben zij de zegeningen van onze moderne tuchtmiddelen niet genoten!'[32]

Ook anderen stelden dat het niet onderkennen door onderwijzers dat aan het lastige gedrag van sommige leerlingen een medisch-psychiatrische stoornis ten grondslag lag, ernstige gevolgen had. Sommige kinderen zouden daardoor op 'ruwe wijze zijn miskend', waardoor een 'diepgaand lijden' over hen werd gebracht.[33]

Alles wijst erop dat deze waarschuwingen weinig effect hadden. Over het algemeen golden vóór 1930 gedragsmatige en ook emotionele moeilijkheden bij kinderen niet als medisch, maar als pedagogisch probleem. Er was echter één uitzondering. Het medische concept van 'zenuwachtigheid' werd wel serieus genomen. Weliswaar niet door alle, maar wel veel gezinspedagogen en onderwijzers.[34] Deze zenuwachtigheid kan ook als voorloper van ADHD worden beschouwd.

Zenuwachtigheid

Prikkelbare zenuwen

'Zenuwachtigheid' bij kinderen kon zich op vele manieren manifesteren. Allerlei verschijnselen zoals angsttoestanden, dwangvoorstellingen, dwanghandelingen, spraakstoornissen, hartkloppingen, slaapstoornissen, ingewandsstoornissen, onanie, nagelbijten, bedwateren en hoofdpijn werden met de 'zenuwen' in verband gebracht. Deze *vergaarbak*, zoals het in de vakliteratuur wel wordt genoemd,[35] was dus net als Boumans *moreel-ethische defect* geen welomschreven ziektebeeld.

Meestal werden er twee hoofdvormen van zenuwachtigheid onderscheiden: het apathische, of lusteloze type en het eretische, of prikkelbare type. Vooral dit laatste subtype vertoonde voldoende overeenkomsten met de huidige ADHD om het predikaat voorloper te verdienen. Het erethisch zenuwachtige kind werd bijvoorbeeld omschreven als 'vatbaar voor allerlei prikkels; het doet druk mee aan de verschillende kinderspelen, doch is daarbij lastig om zijne wispelturigheid; het is uitermate bewegelijk, zoowel in lichamelijk als in geestelijk opzicht, en laat zich bij voorkeur leiden door de vlucht van zijne teugellooze phantasie; het bezit eene groote slagvaardigheid; [...] en bijna altijd veroorzaakt het door zijne hardnekkige zucht naar verandering groote moeilijkheden voor ouders en onderwijzers'.[36]

Naast deze ADHD-achtige gedragskenmerken, figureerden ook fysieke symptomen, vooral vermoeidheid en maag-/darmklachten, in de literatuur over zenuwachtigheid. Op dit punt was er een duidelijk verschil met de moreel-ethisch defecte of psychopathische kinderen bij wie dergelijke somatische verschijnselen niet voorkwamen. Van hen werden vooral de uitwendige gedragskenmerken beschreven, terwijl bij zenuwachtigheid de problemen *in* het kind vooropstonden. Er was daarnaast veel aandacht voor de ongehoorzaamheid en eigenzinnigheid van zenuwachtige kinderen, maar daar werd in veel gevallen anders op gereageerd dan op de misdragingen van de 'lastige en ondeugende kinderen' van Bouman. Sommige onderwijzers en pedagogen meenden dat ook zenuwachtigheid een door de opvoeding veroorzaakte wilszwakte was, die slechts een strenge aanpak behoefde. In de opvoedingsliteratuur werd echter dikwijls gesteld dat zenuwzwakke kinderen 'lastig' waren vanwege hun erfelijke predispositie. Terwijl andere emotionele en gedragsmatige moeilijkheden als moreel of pedagogisch probleem werden beschouwd, gold zenuwachtigheid meestal als een echte ziekte. Ouders kregen bijvoorbeeld het advies om met hun nerveuze kind naar een arts te gaan.[37]

Met andere woorden, niet bij immoreel of crimineel gedrag, maar bij zenuwachtigheid kregen medische verklaringen voor het eerst ingang in het onderwijs en de gezinspedagogiek. Om dit bescheiden succes van het concept van 'zenuwachtigheid' als medisch probleem te kunnen verklaren, is het zinvol om dieper in te gaan op de achtergrond daarvan.

Dé ziekte van de moderne tijd
In plaats van zenuwachtigheid werd ook wel gesproken van 'neurasthenie' of van een 'neurasthene praedispositie'. Het begrip neurasthenie werd groot

gemaakt door de Amerikaanse arts George M. Beard. Beard zag neurasthenie, dat letterlijk 'verlies van zenuwkracht' betekent, als een typisch modern verschijnsel. Naar analogie van een elektrisch netwerk dat overbelast raakt, zou het menselijke zenuwstelsel door alle prikkels en drukte van de moderne samenleving overbelast raken, met als gevolg vermoeidheid, slapeloosheid, lusteloosheid, angsten, dwanggedachten en prikkelbaarheid. Beard benadrukte dat deze symptomen niet het gevolg waren van een psychische, maar van een somatische stoornis. Deze had volgens hem een functioneel karakter, wat betekent dat niet de structuur, maar de werking van de zenuwen was aangetast. Die aangetaste werking duidde hij aan als 'irritable weakness' (prikkelbare zwakte). De uitputting van het zenuwstelsel bij neurasthenici ging daarom dikwijls – maar niet altijd – gepaard met erethische verschijnselen.[38]

Behalve in de Verenigde Staten, sloeg het neurasthenie-begrip vooral in Duitsland enorm aan. Alom werd een zorgwekkende toename van het aantal 'zenuwlijders' geconstateerd. Sanatoria, kuur- en rustoorden voor deze patiënten beleefden hoogtijdagen. Ook particuliere praktijken van zenuwartsen bloeiden op. Buiten de Duitse neurologie en psychiatrie, in de bredere cultuur werd neurasthenie veelvuldig besproken door intellectuelen en commentatoren. Net als Beard brachten zij de toename van het zenuwlijden in verband met de modernisering van Duitsland. Het land maakte na 1870 een snelle industriële ontwikkeling door en 'elektrificeerde' in hoog tempo. In de stroom publicaties die na 1880 op gang kwam, gold 'zenuwachtigheid' meer en meer als hét kenmerk van de eigen, moderne tijd.[39]

Ook elders in Europa kreeg het neurasthenie-begrip, weliswaar minder snel en heftig dan in Duitsland, grote bekendheid. De opvattingen van Beard werden echter niet kritiekloos overgenomen. Beard meende bijvoorbeeld, uitgaande van de analogie tussen elektriciteit en het zenuwstelsel, dat elektrotherapie bij neurasthenici kon bijdragen aan het herstel van zenuwkracht. Deze behandelvorm nam, met name in Duitsland, ook een hoge vlucht. Al in de jaren 1880 betoogde de Franse zenuwarts Jean-Martin Charcot echter dat de toestand van patiënten niet verbeterde door de toediening van elektrische, galvanische stroom op zichzelf, maar door de suggestieve werking die uitging van deze spectaculaire behandelmethode en de indrukwekkende apparatuur die daarbij werd gebruikt. Op vergelijkbare wijze konden patiënten volgens Charcot en zijn landgenoot Hyppolyte Bernheim *psychisch* beïnvloed worden met behulp van hypnose. In Wenen verloor de zenuwarts Sigmund Freud, nadat hij daar korte tijd mee had geëxperimenteerd, al snel het geloof in de werkzaamheid van de elektrotherapie. Ook hij paste bij neurasthenici hypnose toe, maar ontwikkelde tevens zijn befaamde psychoanalytische behandeling. Aanvankelijk stuitten de opvattingen van Charcot, Bernheim en Freud vooral in Duitsland op veel weerstand. Vanaf de jaren 1890 ging het echter ook daar bergafwaarts met de elektrotherapie, vooral omdat daar onvoldoende resultaten mee werden geboekt. Hypnose en later ook de Freudiaanse gesprekstherapie kwamen daar geleidelijk voor in de plaats. Dit betekende ook dat het psychische karakter van neurasthenie meer werd benadrukt.[40]

Tegelijkertijd deed zich ook een min of meer tegengestelde ontwikkeling voor. Lag in de Verenigde Staten, in navolging van Beard, de meeste nadruk op de overlading van het zenuwstelsel door invloeden van buitenaf, in Europa kreeg ook het erfelijkheidsdenken vat op de discussies over 'zenuwen'. Aan erfelijke en zelfs degeneratieve aanleg werd daardoor, vooral vanaf de jaren 1890, een grotere rol toebedeeld. Dat ging echter niet ten koste van de cultuurkritiek op de modernisering. Ook was dit niet per definitie in tegenspraak met de toegenomen aandacht voor psychologische factoren en behandelmethoden. Neurasthenie werd namelijk opgevat als het product van het *samenspel* tussen overgevoelige en zwakke zenuwen enerzijds en de prikkels en druk van het moderne leven anderzijds.[41]

De notie dat aanleg een rol speelde, was overigens ook al bij Beard aanwezig. Hij noemde bijvoorbeeld de intellectuele ontplooiing van de vrouw als één van de factoren die de toename van 'zenuwachtigheid' verklaarde. Het zenuwstelsel van vrouwen was volgens Beard namelijk sensibeler dan dat van mannen, waardoor zij minder goed bestand waren tegen (in dit geval) geestelijke 'overlading'. Aanvankelijk kregen vrouwen met zwakke zenuwen in de regel het predikaat 'hysterisch', terwijl neurasthenie als mannenaandoening werd beschouwd. Er werd namelijk een relatie gelegd tussen sommige moderne (mannen)beroepen, en het ontstaan van neurasthenie. Industriëlen, kooplieden, handelsreizigers, politici, intellectuelen, onderwijzers, spoorwegpersoneel, werknemers in telegraafkantoren en kantoorpersoneel liepen een groter risico op uitputting van hun zenuwgestel. Zij kwamen in hun dagelijks werk namelijk het meest in aanraking met spanningsbronnen als moderne communicatiemiddelen, hevige commerciële concurrentie, het steeds snellere verkeer, zintuiglijke prikkels en intellectuele inspanning. Daarnaast namen mannen meer deel aan het drukke, moderne leven buitenshuis dan vrouwen die, althans voor zover het de middenklasse betrof, geacht werden vooral binnenshuis te functioneren.[42]

Zenuwziekten bij mannen waren in dit perspectief vooral het gevolg van de invloeden van buitenaf, bij vrouwen werd de grootste rol toegeschreven aan hun gevoelige, hysterische natuur. Vanwege 'hun toch al tere zenuwgestel' zou het funest zijn wanneer vrouwen zich buiten de enigszins beschermde omgeving van het huisgezin begaven en dezelfde moderne invloeden ondergingen als mannen. Dit was een populaire zienswijze. Op basis van deze gedachtegang waren in Nederland bijvoorbeeld de psychiaters C. Winkler en K.H. Bouman, maar ook intellectuelen als de historicus P.J. Blok, soms zelfs ronduit tegen de toelating van vrouwen op universiteiten of tot mannenberoepen. Toen vanaf de jaren 1890, zowel in Nederland als in het buitenland, neurasthenie frequenter ook bij vrouwen werd vastgesteld – en dus geleidelijk het (mannelijke) 'genderkarakter' verloor – werd tegen deze achtergrond de beginnende vrouwen-emancipatie als hoofdoorzaak gezien. Daarnaast speelde mogelijk het wat grotere accent op erfelijkheid mee. Het ziektebegrip was daardoor namelijk beter dan voorheen van toepassing op vrouwen, van wie immers werd verondersteld dat ze een 'gevoelige natuur' bezaten.[43]

Neurasthenie gold aanvankelijk, behalve als mannenaandoening, ook als kwaal van de hogere en hooggeschoolde sociale klassen. De algemene opvatting was namelijk dat 'hoofdarbeid' en intellectuele bezigheid, in tegenstelling tot fysieke arbeid, een groot risico van 'geestelijke overlading' met zich meebrachten. Tevens werd het fijnbesnaardere zenuwgestel van beschaafde, ontwikkelde mensen als kwetsbaarder beschouwd dan de afgestompte zenuwen van het ruwe volk. Daarnaast was, zo wordt althans regelmatig beweerd, de diagnose neurasthenie voor welgestelden een middel om het stigma van geesteszieke en de opname in een gesticht te vermijden. Zo ontstond er ook een institutioneel onderscheid: De krankzinnigeninrichtingen, het voornaamste werkterrein van psychiaters, zouden vooral bevolkt worden door patiënten uit de lagere sociale klassen. De rijkeren konden terecht in de dure privéklinieken, sanatoria en kuuroorden voor zenuwlijders, waar neurologen de scepter zwaaiden. Neurasthenie werd om deze reden nooit, zoals bijvoorbeeld *moral deficiency*, onevenredig in verband gebracht met het proletariaat. Wel nam na verloop van tijd ook de associatie met de hogere klassen af en kwam het onder alle lagen van de bevolking voor.[44]

Verschillende (zenuw)artsen zagen ook een verband tussen neurasthenie en stijging op de sociale ladder. Arbeiderskinderen die een 'opvoeding boven hun stand' genoten en daardoor hun milieu ontgroeiden, zouden zich in hun nieuwe maatschappelijke positie misplaatst gaan voelen. Daardoor kregen 'maar al te vaak de zenuwen het te kwaad'. Bovendien zouden sociale stijgers zich gaan schamen voor hun eenvoudige afkomst. Dat was buitengewoon pijnlijk voor hun vaders en moeders, te meer omdat die vaak krom hadden gelegen voor de betere toekomst van hun kroost. Ook de zenuwen van ouders zouden daarom niet gespaard blijven.[45]

In het laatste decennium van de negentiende eeuw groeide tevens de aandacht voor zenuwachtigheid bij kinderen, in gelijke mate bij jongens en meisjes. Dat was niet verwonderlijk, omdat het voor de hand lag dat het zenuwstelsel van kinderen, evenals dat van vrouwen, kwetsbaarder was dan dat van volwassen mannen. Bovendien werd het alleen al vanuit preventief oogpunt nodig geacht om meer aandacht te besteden aan zenuwachtige kinderen. Hun erfelijke dispositie zou door een ongunstige samenspel met milieu-invloeden kunnen uitgroeien tot ernstige zenuwziekte, zo was de algemene overtuiging. Het was daarom noodzakelijk, maar ook mogelijk, om dat ongunstige samenspel te voorkomen door het scheppen van een gezond opvoedingsklimaat. Dat gold niet alleen voor de thuissituatie, maar nadrukkelijk ook voor het onderwijs. In Duitsland woedde rond 1900 namelijk een hevige discussie over de geestelijke overbelasting van scholieren.[46]

Zenuwachtige kinderen in Nederland
In navolging van Duitsland kwam neurasthenie, zij het met enige vertraging en op bescheidener schaal, ook in Nederland hoog op de agenda te staan. Zenuwachtigheid gold rond 1900 als 'de kwaal onzer dagen' en er werd een 'onrustbarende toename' van het aantal zenuwlijders waargenomen. Vanaf het begin van de twintigste eeuw werd in veel publicaties ook specifiek ingegaan op het 'gewichtig vraagstuk' van het groeiende aantal kinderen met een *neurasthene praedispositie*. Daarin werd vrijwel uitsluitend verwezen naar Duitstalige deskundigen.[47]

Het is dan ook niet verwonderlijk dat Nederlandse auteurs in grote lijnen dezelfde visie uitdroegen over het samenspel tussen aanleg en omgeving als hun Duitse collega's.[48] De orthopedagoog Klootsema wees er op dat échte neurasthenie zelden voorkwam bij kinderen, omdat die nog niet lang genoeg hadden blootgestaan aan de geestelijke overlading van de moderne samenleving. Wel kon er sprake zijn van een erfelijke aanleg. Om te voorkomen dat die kon uitgroeien tot zenuwziekte, was het volgens Klootsema allereerst van belang dat kinderen met een zenuwachtige dispositie als zodanig werden herkend. Dat moest zo vroeg mogelijk gebeuren, zoals ook Klootsema's vakgenoot Schreuder benadrukte: 'Hoe spoediger ge Uw kind herkend hebt als een afwijkend kind, hoe beter zult ge het opvoeden en des te minder gevaar loopt ge, U aan hem te vergrijpen'.[49] De volgende stap was: voorkomen dat bij deze kinderen de nerveuze aanleg zou verergeren, bijvoorbeeld doordat er een 'neuropathische overlading' zou plaatsvinden en in plaats daarvan verbetering aan te brengen. Hoe dat moest gebeuren, kon de pedagoog N. Knapper aangeven met één enkel woord, 'aangezien dit de geheele behandeling beheerscht: *opvoeding*'.[50]

Veel hing daarom af van de ouders. Die stonden volgens Schreuder voor een zware opgave: 'Een zenuwachtig kind in deze jaren goed op te voeden is, geloof ik, het moeilijkste, wat er in de opvoeding kan voorkomen'. Daarbij hielp het niet dat dikwijls 'Vader of Moeder of beiden zelf ook niet sterk van zenuwgestel zijn, prikkelbaar en driftig, humeurig en onstandvastig, spoedig vermoeid en wisselend van stemming en dan is het niet te verwonderen, dat de taak ten slotte te zwaar gaat wegen en moeder en kind beide er bij ten onder dreigen te gaan [...]. Dan is de eenige uitredding het kind onder andere, liefst deskundige leiding te doen'.[51] Soms was het dus onvermijdelijk dat kinderen uit huis geplaatst werden. In de meeste gevallen kon het met het kind in de eigen ouderlijke omgeving goed komen. Met behulp van opvoedingsadviezen als deze: 'Bedenk, dat het voor de opvoeding van Uw zenuwachtig kind vooral erop aankomt, wat Gezelf zijt. Wees vóór alles flink en rustig en beslist, houd voet bij stuk, zonder echter hard en streng te zijn. Wees verder liefdevol en geduldig, maar hoed U voor slapheid en toegeefelijkheid, want dat is in zijn gevolgen nog veel erger dan hardheid'.[52]

Zo overheerste in de literatuur over zenuwachtige kinderen dezelfde sociaal-biologische benadering, hetzelfde preventieve denken, een vergelijkbaar gevoel van urgentie en een vergelijkbaar groot vertrouwen in opvoedkundige oplossingen, als in de publicaties over onmaatschappelijke en criminele kinderen. Ook komt in het voorgaande opnieuw de invloed vanuit Duitsland sterk naar voren – al bestaat de indruk dat het pedagogisch optimisme in Nederland wat groter was. Daardoor lag het accent ook iets meer op omgevingsfactoren en wat minder op de erfelijke aanleg.[53]

'Geestelijke overlading' op school

Die Duitse invloed was ook sterk merkbaar in de breed gedeelde opvatting dat de school vaak bijdroeg aan het ontstaan van zenuwachtigheid of neurasthenie. De invoering van de leerplicht leidde niet zozeer tot de ontdekking en vervolgens medicalisering van ADHD-achtig gedrag bij kinderen, maar kreeg mede de *schuld* van het ontstaan van dat gedrag.

In de eerste decennia van de twintigste eeuw woedde namelijk een hevig debat over de 'geestelijke overlading' die de school teweeg zou brengen, met funeste gevolgen voor de zenuwen van de leerlingen. Critici meenden dat de toename van het aantal zenuwachtige kinderen in de eerste plaats was veroorzaakt doordat kinderen op te jonge leeftijd naar school werden gestuurd. De psychiater G. Jelgersma betoogde in een beroemde rede uit 1907 met de titel *De beschaving als predisponerende oorzaak voor zenuwaandoeningen*, dat de hersenen van een jong kind tot het negende jaar buitengewoon snel groeiden en daarom ontzien moesten worden. Tot zijn verontrusting constateerde Jelgersma dat deze 'wetenschappelijke kennis' werd miskend: 'Op zesjarigen leeftijd en vaak vroeger zendt men het kind naar school; het moet leren lezen, rekenen en honderd andere dingen die schaden aan zijn geestelijke ontwikkeling. Vandaar komt de geestelijke overlading, die weldra de toekomstige geestelijke gezondheid op ernstige wijze komt aantasten'.[54] Volgens Jelgersma en verschillende vooraanstaande pedagogen was het nodig om het echte onderwijs uit te stellen tot kinderen een jaar of tien waren.[55]

In de tweede plaats was er veel kritiek op de eenzijdige manier van lesgeven. Vooral het stampen van feitjes en de klassikale lesmethode zouden intellectuele overbelasting veroorzaken. Jelgersma sprak van 'pompscholen' en 'de eenzijdige voorbereiding voor een of ander examen'. De scholen werden ook wel getypeerd als 'zit- en luisterscholen', die kinderen tot stilzitten en passiviteit dwongen en geen ruimte boden aan hun individuele ontwikkeling. De 'geestelijke overlading' van kinderen werd volgens veel commentatoren bovendien versterkt door het huiswerk dat ze opkregen. Dat werd vaak minder aan de onderwijzer dan aan de 'ouderlijke eerzucht' geweten. Vooral ouders uit de hogere sociale klassen zouden te streberig zijn, aandringen op huiswerk of bijlessen en zo de geestelijke overbelasting van hun kinderen vergroten.

Onderwijsvernieuwers richtten tegen deze achtergrond nieuwe scholen op, zoals de Montessorischool, de Daltonschool, de Jenaplanschool en de

Vrije School. Het aantal van deze scholen bleef vóór de Tweede Wereldoorlog erg klein. Wel onderschreven onderwijzers en pedagogen over het algemeen dat eenzijdige intellectuele vorming, langdurig stilzitten in de klas en stampwerk niet goed waren voor de lichamelijke en geestelijke gezondheid van kinderen. Dit heeft op individuele, lokale basis tot kleine aanpassingen geleid. In het schoolrooster werd ruimte gemaakt voor vakken als handenarbeid, tekenen en gymnastiek.[56]

Dat onderwijzers zenuwachtigheid en geestelijke overlading over het algemeen serieus namen is niet verwonderlijk. Deze problematiek stond namelijk niet ver af van hun belevingswereld. Zenuwachtigheid was *de* kwaal van de moderne tijd, waar toentertijd in het publieke debat veel aandacht voor was. Daarbij vormde de diagnose neurasthenie nauwelijks een stigma, zeker in vergelijking met de psychopathie of het moreel-ethisch defect die met een minderwaardige aanleg en afkomst werden geassocieerd. Neurasthenici werden gevonden in alle sociale lagen, want de moderne omstandigheden raakten iedereen. Tot op zekere hoogte was zenuwachtigheid zelfs een teken van de beschaving en verfijning van de hogere klassen. Daarnaast zou neurasthenie vaker voorkomen bij beroepen die het risico van intellectuele overbelasting met zich mee brachten. Dat gold niet in de laatste plaats voor het beroep van onderwijzer. Over zenuwachtigheid bij leerkrachten als gevolg van geestelijke overlading werd regelmatig geschreven in de eerste decennia van de twintigste eeuw. Daarbij werd bijvoorbeeld betoogd dat de rustperioden in de schoolvakanties vooral voor onderwijzers noodzakelijk waren en in veel mindere mate voor de leerlingen. In 1900 stichtte de Bond van Nederlandsche Onderwijzers in Lunteren zelfs een herstellingsoord dat expliciet bedoeld was voor 'zenuwlijdende' en 'rustbehoevende' leerkrachten.[57]

Besluit

Het relatieve 'succes' van zenuwachtigheid illustreerde slechts een voorzichtig begin van de medicalisering van afwijkend kindergedrag. Toch waren alle factoren aanwezig die volgens sociologen bijdroegen aan de uitbreiding van het medisch-psychiatrische werkterrein: snelle modernisering, verschuivende verhoudingen tussen sociale klassen, professionalisering, stijgend pres-

Van zenuwachtig tot hyperactief

tige en *last but not least* de invoering van de leerplicht. Deze factoren leidden echter niet zo automatisch en onontkoombaar als soms wordt beweerd tot medicalisering. Rond 1900 heerste er eerder een klimaat van pedagogisch optimisme en sociaal activisme. Over zenuwachtige en onmaatschappelijke kinderen was wel veel discussie, maar dat betekende niet dat ook velen van hen daadwerkelijk daarvoor bijvoorbeeld bij een psychiater in behandeling kwamen. Pas na 1930 en vooral na de Tweede Wereldoorlog kreeg de ambulante geestelijke gezondheidszorg voor kinderen institutioneel vorm. Daarmee ontstond ook daadwerkelijk een diagnostische en behandelpraktijk voor kinderen met ADHD-achtige gedragskenmerken.

Zoals in het volgende hoofdstuk zal blijken, werd daarbij wél voortgeborduurd op de opvattingen uit het begin van de twintigste eeuw over het moreel-ethische defect en onmaatschappelijkheid, en vooral zenuwachtigheid. Alleen al om die reden is de toenmalige literatuur over deze concepten interessant en relevant voor de geschiedschrijving van ADHD. Weliswaar ging het niet om helder omschreven en afgebakende ziektebeelden en weken de morele en fysieke symptomen af van die van ADHD, maar tot op zekere hoogte vormen het moreel-ethische defect en zenuwachtigheid de historische wortels van deze huidige stoornis.

HOOFDSTUK 3: ONGEDURIG EN NERVEUS (CA. 1930-1960)[1]

Inleiding: medicalisering en neurotisering

'Het is bekend, dat ook kinderen, welke een stoornis in de aandachts-bepaling hebben, door een verhoogde afleidbaarheid en onrust het gewone onderwijs slecht kunnen volgen en een vorm van achterlijkheid gaan vertonen, welke toch van zwakke ontwikkeling der verstandelijke vermogens onderscheiden dient te worden. Sinds langen tijd heeft men ook de ervaring opgedaan, dat een gedeelte dezer beweeglijke, vaak onhandelbare en ongezeglijke kinderen, welke in de klas vaak een kruis voor den onderwijzer kunnen zijn, zich kenmerken door een grote vluchtigheid in de opvatting, de inprenting en een bijzonder sterke ongeremdheid, waardoor een invallende gedachte zich terstond in een of andere handeling neigt om te zetten. Het is deze impulsiviteit, welke zeer kenmerkend is voor deze zgn. functioneel-achterlijke kinderen, óók wanneer zij niet (of nog niet) tot asociale en misdadige handelingen gekomen zijn.'[2]

Zo beschreef de Leidse hoogleraar psychiatrie E.A.D.E. Carp in 1932 een groep kinderen die hij 'functioneel-achterlijk' noemde. Een aantal overeenkomsten met de 'moreel-ethisch defecten' van Bouman (zie hoofdstuk 1) valt direct op. Evenals Bouman sprak Carp van een vorm van achterlijkheid zónder onderontwikkelde verstandelijke vermogens. Tevens noemde ook hij ongeremdheid en impulsiviteit als belangrijke symptomen, die hij op dezelfde manier in verband bracht met misdadigheid en asociaal (Bouman zou zeggen: onmaatschappelijk) gedrag. Carp had het, met andere woorden, over een zeer vergelijkbare categorie probleemkinderen als Bouman.

Hij benaderde deze kinderen echter op een andere manier. Carp achtte ze niet *moreel* achterlijk, maar *functioneel*. Hij ging ook niet uit van een ethisch defect, maar van een stoornis in de aandachtsbepaling. Het belangrijkste verschil is echter dat Carp in tegenstelling tot Bouman oog had voor *psychische* oorzaken van misdadigheid. Zijn boek *Het misdadige kind* ademde de geest van Alfred Adler (1870-1937), een Oostenrijkse psychiater en psychoanalyticus. Adler verschilde van mening met zijn tijdgenoot Sigmund Freud over het belang van de geslachtsdrift in het ontstaan van neurosen. Volgens Adler speelden gevoelens van minderwaardigheid daarin een veel grotere rol. Neurosen, depressie, criminaliteit, zelfs psychosen zouden volgens Adler samenhangen met stoornissen in de relatie tussen het individu en de gemeenschap. Na de Eerste Wereldoorlog verscheen Adlers boek *Menschenkenntnis* (mensenkennis) waarin hij het thema *Gemeinschaftsgefühl* (gemeenschapsgevoel) en zijn op de praktijk gerichte systeem van *Individualpsychologie* (individuele psychologie) uitwerkte.[3]

In navolging van Adler meende Carp dat opvoeders de taak hadden om kinderen 'genegenheid' bij te brengen voor hun omgeving. Daarin lag immers de basis voor de ontwikkeling van het gemeenschapsgevoel. Kinderen die een onvoldoende ontwikkeld gemeenschapsgevoel hadden, die zich niet thuis voelden, zagen zichzelf als minderwaardig. Door dit minderwaardigheidsgevoel sloot het kind zich af van de buitenwereld. Het voelde zich vol wrok, onmachtig en vijandig ten opzichte van zijn omgeving. Het raakte op een verkeerd spoor en verviel ten slotte tot asocialiteit en misdadigheid.[4]

Adlers *Individualpsychologie* was in de jaren dertig, in tegenstelling tot Freuds psychoanalyse, zeer invloedrijk in onderwijskundige en pedagogische kringen in Nederland. Protestanten en katholieken konden er goed mee uit te voeten, onder andere omdat het seksuele bij Adler anders dan bij Freud geen belangrijke rol speelde. De popullariteit van Adlers ideeën was volgens Nelleke Bakker een belangrijke factor bij de overgang, vanaf de jaren dertig, van een 'morele orde' naar een 'probleemcultuur'[5] in de opvoeding. Het ging bij opvoeden namelijk niet meer alleen om het aanbrengen van zelfbeheersing, maar ook van zelfvertrouwen. Juist dat laatste kon met allerlei moeilijkheden gepaard gaan. Een gebrek aan zelfvertrouwen kon zich uiten in bijvoorbeeld verlegenheid, bedplassen, stotteren, brutaliteit en ongehoorzaamheid. Dergelijk ernstig en minder ernstig probleemgedrag kon niet langer bestreden worden door morele veroordeling, opvoedkundige tucht of het deugdzame voorbeeld van ouders, maar vergde dieptepsychologische duiding. Daarom waren niet de ouders zelf of traditionele morele autoriteiten als dominees, priesters en onderwijzers, maar professionele deskundigen als psychologen en psychiaters de aangewezen figuren om te bepalen wat er aan de hand was met het kind.[6]

Zo werkten volgens historisch-pedagogen de 'probleemcultuur' en de grote invloed van Adlers *Individualpsychologie* in de hand dat de bemoeienis met (probleem)kinderen medicaliseerde en professionaliseerde. Vooral psychiaters en psychologen wisten hun werkterrein aanzienlijk uit te breiden in de periode 1930-1960. Hun benadering was daarbij psychologisch en na de Tweede Wereldoorlog ook psychoanalytisch gekleurd. In de literatuur wordt daarom gesteld dat de opvoeding werd 'geneurotiseerd'; dat wil zeggen dat de omgang van ouders en kinderen als dé bron van neurotische problemen werd bestempeld. Allerlei gebreken of moeilijk gedrag van kinderen, zoals duimzuigen, nagelbijten en bedplassen, zouden door psychoanalytisch georiënteerde opvoedingsdeskundigen geduid worden als symbolische representaties van innerlijke conflicten en trauma's, waarvan ouders noch kind zich bewust waren, maar die wel wortelden in hun onderlinge relatie. Zo zou de indruk zijn gewekt dat in de opvoeding gemakkelijk van alles mis ging, zodat vrijwel ieder kind zonder de adviezen of therapieën van deskundigen een neurose kon ontwikkelen. Doordat zoveel belang werd gehecht aan de neurotiserende relatie tussen kind en ouders, zouden ouders (vooral de moeders) bovendien al te gauw de schuld hebben gekregen van de psychische stoornissen van hun kind.[7]

Dit vermeende proces van neurotisering wordt over het algemeen gezien als een uitvloeisel van een kentering, of 'pendelbeweging', in de psychiatrie: na de Eerste Wereldoorlog (1914-1918) zou de pendel zijn omgeslagen van een biologische naar een psychosociale benadering van, onder andere, gedragsstoornissen bij kinderen. Verschillende auteurs menen dat hierdoor de 'psychodynamische (=psychoanalytische) theorie van slecht ouderschap' ging domineren.[8] Dit is behalve een erg onzorgvuldige weergave van psychoanalytische opvattingen, zoals nog zal blijken, niet in overeenstemming met de historische werkelijkheid.

In dit hoofdstuk wordt het beeld van medicalisering, neurotisering en pendelbeweging in de periode 1930-1960 deels bevestigd en deels ontkracht. Dit gebeurt aan de hand van twee voorlopers van ADHD, die toentertijd opgeld deden in Nederland: 'ongedurigheid' – dat inhoudelijk sterk overeenkwam met de functionele achterlijkheid van Carp – en 'nervositas'. Eerst worden deze ziektebegrippen nader geïntroduceerd. Daarna komt de vraag aan de orde hoe psychiaters en andere hulpverleners aankeken tegen, en omgingen met de gezinnen van ongedurige en nerveuze kinderen. Was inderdaad sprake van neurotisering van de opvoeding? Tevens wordt ingegaan op de belangrijke invloed die de zogenaamde beweging voor geestelijke volksgezondheid volgens sociologen en historisch-pedagogen heeft gehad op de processen van medicalisering en neurotisering. Het laatste deel van dit hoofdstuk gaat over de belangrijke rol die de school en onderwijzers speelden in de vakliteratuur over ongedurige en nerveuze kinderen. Sociologen schrijven de medicalisering van afwijkend gedrag daarom voor een groot deel op het conto van de 'samenwerking' tussen onderwijs en psychiatrie.

Ongedurigheid en nervositas

Ongedurige, instabiele kinderen

In zijn leerboek uit 1952 wijdde de kinderpsychiater D.A. Van Krevelen een hoofdstuk aan 'het ongedurige kind'. Hij leunde daarbij sterk op het proefschrift van de psycholoog A.M.J. Chorus, *Het tempo van ongedurige kinderen*, uit 1940. Chorus gaf daarin de volgende beschrijving: 'De ouders van dergelijke kinderen noemen meestal als hun belangrijkste euvel, dat zij niet in staat zijn om hun aandacht erbij te houden; ze komen slecht of zeer moeilijk tot wat men "concentratie der aandacht" noemt. Ook worden ze vaak als zenuwachtig en springerig aangeduid. Voornamelijk valt in hun uiterlijk gedrag op: een overmatige beweeglijkheid, een zekere lawaaierige drukte en een chaotische woordenvloed, die dikwijls meer uit woorden dan uit zinnen bestaat. Hun hele doen en laten is gekenmerkt door ongedurigheid: ze springen van den hak op den tak in hun denken en spreken zowel als in hun spelen en werken'.[9]

Ongedurigheid betekende volgens Chorus en Van Krevelen *letterlijk* 'geen duur hebben'. Dat uitte zich, stelden zij, niet alleen in een rusteloze en chaotische motoriek en het slecht kunnen vasthouden van de aandacht; ook het gevoelsleven, de affectieve bindingen die het kind aanging met volwassenen of andere kinderen en het 'wilsleven' waren vluchtig. Dit gebrek aan bestendigheid maakte, betoogde Chorus, ongedurige kinderen tot 'vormlozen'.[10] Deze vormloosheid manifesteerde zich bijvoorbeeld in het spel, zoals Van Krevelen schetste: 'Het ongedurige kind behoort tot de kinderen, die niet spelen kunnen [...]. Het kent geen bezigheden, slechts ongericht bezig-zijn-zonder-meer. Omdat het nu eens door dit, dan weer door dat in letterlijke zin gepakt wordt, verspreidt het een enorme rommel om zich heen [...]. Het spel met andere kinderen ontaardt weldra in "douwelen" en handtastelijkheden. In het gemeenschapsspel, dat aan vaste regels is gebonden, slaat het ongedurige kind een pover figuur'.[11]

Chrorus en Van Krevelen gingen opvallend uitvoerig in op de motoriek van ongedurige kinderen. Zij bewogen niet alleen veel en druk, maar waren ook onhandig, klunzig. Zij liepen daarmee achter in hun motorische ontwikkeling, aldus Van Krevelen. Dat had onder andere een negatief effect op hun 'werktempo', het onderwerp waar Chorus zich op richtte. Deze aandacht voor motorische vaardigheden is een voorbeeld van de invloed vanuit Duitsland, waar het zogenaamde 'motiliteitsonderzoek' een hoge vlucht had genomen. Het uitgangspunt daarbij was dat de motorische ontwikkeling en intellectuele ontwikkeling van kinderen gelijk op liepen. Hoe een kind motorisch functioneerde zei daarom iets over zijn verstandelijke niveau. Bij ongedurige kinderen betekende de motorische achterstand niet dat sprake was van een achterblijvend verstand, maar wel 'een disharmonische ontwikkeling' die leidde tot 'een gebrek aan beheersing'. Chorus gebruikte in dit verband de Duitse term *Hypermotilität*.[12]

De Franse invloed op Van Krevelen en Chorus was nog groter dan de Duitse. Hun concepten van 'ongedurigheid' en 'vormloosheid' waren afgeleid van Franse vakliteratuur, waarin werd gesproken van *instables*. Carp en R. Nyssen, hoogleraar psychiatrie in Gent en de auteur van het eerste Nederlandstalige leerboek over de kinderpsychiatrie, gebruikten zelfs een letterlijke vertaling van dit Franse begrip: 'instabielen'. De gelijkenis met de 'ongedurige kinderen' die Chorus en Van Krevelen beschreven was daarbij aanzienlijk. Dit blijkt bijvoorbeeld uit de typering die Carp in 1934 gaf van *les instables*: 'Een ieder kent deze kinderen met hun levendig temperament, hun rusteloosheid en beweeglijkheid, hun ongedurigheid en ongezeggelijkheid, hun oogenschijnlijke gevatheid, welke tot brutaliteit neigt, hun plagerig en drangmatig handelen'.[13] In het uitgebreide hoofdstuk van Nyssen over instabiele kinderen kwamen eveneens dezelfde elementen terug als in het werk van Chorus en Van Krevelen. Overigens kan ook de 'functioneel-achterlijkheid', waar Carp over sprak in het citaat waarmee dit hoofdstuk begon, beschouwd worden als min of meer synoniem met 'instabiliteit' en 'ongedurigheid'.[14]

Ongedurigheid, instabiliteit en functioneel-achterlijkheid hadden verder met elkaar gemeen dat zij in verband werden gebracht met criminaliteit. Door school- en beroepswisselingen, de zucht naar nieuwe indrukken en de voorkeur voor avontuurlijke beroepen kon een ongedurig kind gemakkelijk uitgroeien tot 'een stuurloze psychopaath', betoogde Van Krevelen. Ook Carp, Nyssen en Chorus uitten zich in deze zin. Zij beschreven een groep kinderen die sterk overeenkwam met de *licht* moreel-ethische defecten van Bouman (zie hoofdstuk 2): kinderen die niet gewetenloos waren of reeds tot criminaliteit waren vervallen, maar door hun impulsiviteit en ongeremdheid groot gevaar liepen 'af te glijden'. Van Krevelen noemde bijvoorbeeld de term 'psychomotorisch infantilisme', wat sterk doet denken aan de subcategorie 'infantielen' die Bouman noemde in zijn lezing over het moreel-ethische defect. Bovendien dachten Van Krevelen en de andere genoemde auteurs evenals Bouman in termen van een ontwikkelingsachterstand. Van Krevelen stelde bijvoorbeeld dat ongedurigheid berustte op 'een vertraging van de persoonlijkheidsontwikkeling'. Daarnaast deelde hij dit ziektebegrip in bij de 'karakteropathieën', terwijl Bouman sprak van een karakterstoornis.[15]

Deze overeenkomsten tussen Bouman en onder andere Van Krevelen roepen de vraag op of de pendelbeweging van 'biologie' naar 'psychologie', die in de literatuur wordt beschreven, zich wel heeft voorgedaan. Voor Van Krevelen waren 'karakteropathieën' grotendeels in aanleg (dus in de 'biologie') gegeven stoornissen. Hij schreef dat 'men in menig geval van een aangeboren ongedurigheid moet spreken'.[16] Nyssen en Chorus dachten daar hetzelfde over. Dat gold ook voor Carp. Hoewel die in zijn benadering van misdadige kinderen Adler omarmde, ging hij bij 'instabielen' en 'functioneel-achterlijken' uit van een fysiek, constitutioneel probleem.[17]

Dit zegt echter nog niet alles, omdat in de periode 1930-1960 niet 'ongedurigheid', maar het uit de Duitstalige psychiatrie afkomstige concept van de 'nervositas' het meest werd gebruikt voor ADHD-achtige verschijnselen.

Nerveuze kinderen

De psychiater R. Vedder wijdde in 1938 een hoofdstuk in een boekje over 'moeilijke kinderen' aan het nerveuze kind. Hij schreef daarin over een nerveuze jongen, de achtjarige Tom: 'Hij is onrustig overdag en 's nachts, thuis en op school. Geen oogenblik kan hij stilzitten, altijd zit hij op zijn stoel te "draaien". In zijn spel druk en onbeheerscht. Hij heeft geen geduld om rustig aan tafel eens een spelletje te doen'. De klachten van Tom waren volgens Vedder samen te vatten onder de noemer 'onrust'.[18]

Deze beschrijving van nervositas vertoont een buitengewoon grote overeenkomst met de door Chorus en Van Krevelen beschreven ongedurigheid.

De overlap tussen beide ziekteconcepten was dan ook groot. Toch waren er een aantal belangrijke verschillen. Bij nervositas werd een veel minder sterk verband gelegd met maatschappelijk afglijden en criminaliteit dan bij ongedurigheid. Daarnaast hadden nerveuze kinderen, in tegenstelling tot ongedurige, vaak lichamelijke klachten als hoofdpijn, snelle vermoeibaarheid, maag-darmklachten en vasomotorische verschijnselen. Het onderscheid tussen beide ziektebeelden was dus wel degelijk van belang, ze werden soms ook naast elkaar (en *niet* als synoniem) gebruikt door dezelfde auteur in één en hetzelfde boek.[19]

Belangrijker dan de gelijkenis van nervositas met ongedurigheid, is die met de zenuwachtigheid en neurasthenie van rond 1900. Sterker nog, in feite werd in de hele periode vanaf ca.1890 tot diep in de jaren zestig een aantal min of meer synonieme termen naast elkaar gebruikt: neurasthenie, nerveusiteit, zenuwzwakte, zenuwachtigheid, neuropathie en nervositas.[20] De betekenis van deze termen bleef in deze lange periode nagenoeg onveranderd. Zoals bij zenuwachtigheid rond 1900 reeds het geval was (zie hoofdstuk 1), werd consequent een combinatie van vermoeidheid en overprikkelbaarheid van het autonome zenuwstelsel aangemerkt als de onderliggende oorzaak van een breed spectrum aan nerveuze symptomen. Naast de reeds genoemde lichamelijke verschijnselen, werden keer op keer genoemd: onrust, grote afleidbaarheid, overbeweeglijkheid, snel reageren op 'zelfs de zwakste prikkel'[21] en slecht presteren op school.[22] Kinderpsychiaters en andere deskundigen spraken daarnaast consequent van een nerveuze *constitutie* of van *constitutionele* nervositas. Dat deed de gezaghebbende H.C. Rümke al meerdere keren in de jaren 1930, in daaropvolgende decennia nagevolgd door onder andere de vooraanstaande kinderpsychiaters Tibout en Hart de Ruyter. Ook de psychiater Vedder verwees, in zijn leerboek over leer- en gedragsstoornissen dat vanaf 1958 meerdere herdrukken beleefde, expliciet naar werk van Rümke van vóór de Tweede Wereldoorlog. In 1972 (!) sloot de Utrechtse hoogleraar kinderpsychiatrie Kamp zich hierbij aan, toen hij neuropathie definieerde als 'constitutionele hyperreagibiliteit op basis van een labiele functie van het centrale zenuwstelsel'.[23]

Er was, kortom, sprake van een opmerkelijke continuïteit. Dit roept opnieuw de vraag op in hoeverre de veronderstelde pendelbeweging van een biologische naar een psychosociale oriëntatie en het proces van neurotisering zich wel hebben voorgedaan. Om deze vraag te kunnen beantwoorden is het nodig om in te gaan op de wijze waarop psychiaters en andere hulpverleners aankeken tegen de ouders en gezinsomstandigheden van nerveuze en ongedurige kinderen.

Het gezinsmilieu

Wisselwerking tussen aanleg en milieu
Zowel bij ongedurigheid als bij nervositas werd een belangrijke rol toegeschreven aan (erfelijke) aanleg en constitutie. Dit betekende echter niet dat de invloed van omgevingsfactoren buiten beschouwing bleef. Van Krevelen sprak bijvoorbeeld wel van 'aangeboren ongedurigheid', maar voegde daaraan toe dat 'men de betekenis van het milieu niet mag veronachtzamen'.[24] De negatieve invloed van het milieu, in de vorm van een 'gebrek aan leiding', deed zich volgens Van Krevelen al zo vroeg in het leven van het kind gelden, dat vaak niet uit te maken was 'of het kind zijn ongedurigheid bij zijn geboorte meebracht, of dat het zich deze in de wieg eigen maakte'.[25]

Auteurs die schreven over nervositas maakten vergelijkbare opmerkingen. Ook wezen zij erop dat nerveuze kinderen opvallend vaak nerveuze ouders (vooral moeders) hadden. Dat gegeven gaf echter geen uitsluitsel over de vraag of het kind de stoornis had geërfd van zijn moeder of had opgedaan als gevolg van het nerveuze gedrag van zijn moeder.[26] Vedder schreef hierover: 'Eén van de eigenschappen van de nerveuze moeder is dikwijls dat ze erg veel praat in een snel tempo. Telkens als het kind iets heeft misdaan ontlast zich boven zijn hoofd een niet te stelpen woordenstroom. En ook spontaan wordt het kind aangesproken op een dergelijke radde wijze, dat de meest evenwichtige volwassene er van streek door zou raken. Is het wonder dat een kind dat in zulk een "geladen" atmosfeer moet leven zenuwachtig wordt?'[27]

De psychiater Frets-Van Buuren constateerde in haar proefschift uit 1957 over de betekenis van de diagnose neuropathie, dat voor veel schrijvers het probleem wat aan aanleg en wat aan milieu-invloeden toe te schrijven (bij neuropathie) onontwarbaar was.[28] In alle publicaties over ongedurigheid en nervositas werd dan ook gesteld dat aanleg en milieu beide in het spel waren. In 1938 betoogde Vedder dat bij het nerveuze kind sprake was van een samenwerking van aanleg en opvoeding. In 1960 vertolkten Hart de Ruyter en C. Rümke hetzelfde standpunt en in de publicaties over deze problematiek uit de tussenliggende jaren was dit niet anders.[29]

Van zenuwachtig tot hyperactief

Gerichtheid op het gezin, maar geen neurotisering

Dat psychiaters en andere deskundigen uitgingen van een wisselwerking tussen aanleg en milieu was niet nieuw. Dat was, zo bleek uit hoofdstuk 2, ook rond 1900 het geval. Wel was er verschuiving in het *soort* milieu waarop de aandacht zich richtte. In het vorige hoofdstuk is betoogd dat de concepten van het moreel-ethische defect en zenuwachtigheid aansloten bij een breed gedragen verontrusting over de vermeende slechte invloed van de moderne, stedelijke samenleving op de geestelijke gezondheid. In de literatuur over ongedurigheid en nervositas uit de jaren 1930-1960 werd de negatieve rol van de 'onrust van het moderne leven' en andere maatschappelijke ontwikkelingen wel genoemd, maar die kreeg een veel minder sterk accent dan voorheen. In de regel werd met 'milieufactoren' voornamelijk gedoeld op 'gezinsfactoren'. Het ging daarbij zowel om 'opvoedingsfouten', zoals het gebrek aan leiding waar Van Krevelen over sprak, of juist een té strenge opvoeding, als om spanningen binnen het gezin, bijvoorbeeld als gevolg van huwelijksproblemen, ruzies en drankmisbruik. Deze factoren werden echter niet zozeer voor het ontstaan van de gedragsproblematiek, als wel voor de ernst ervan en de prognose van doorslaggevende betekenis geacht.[30]

De toon jegens de ouders was daarbij meestal kritisch, maar ook begripvol. Enerzijds wezen verschillende auteurs onomwonden op de schadelijke effecten van het gedrag van ouders, anderzijds benadrukten zij dat de opvoeding van nerveuze of ongedurige kinderen een buitengewoon lastige opgave was. C. Rümke en Hart de Ruyter schreven hierover: 'Onze nerveuze kinderen doen voortdurende zulke 'domme dingen', dingen die soms alleen maar lastig zijn, maar vaak de goede verhoudingen, niet zelden ook zelfs het leven bedreigen [...]. De ouders maken dat dag in dag uit mee. Is het dan een wonder dat ze soms radeloos worden, veel te streng, of veel te onredelijk straffen, terwijl het kind eigenlijk hulp nodig had omdat het zo angstig was? Het verbaast ons niet dat er dan klappen vallen, en toch... dit is de goede weg niet'.[31]

Ondanks de kritische houding tegenover de ouders, was van *neurotisering* geen sprake. Over het algemeen werd gewezen op opvoedkundige tekortkomingen, niet of nauwelijks op neurotiserende relaties in psychoanalytische zin. Kinderen met onbewuste innerlijke conflicten doken, van alle voor dit hoofdstuk bestudeerde literatuur, alleen op in het boekje van C. Rümke en Hart de Ruyter uit 1960 – en dan als aparte categorie, te onderscheiden van de kinderen met *constitutionele* nervositas.[32] Dit sluit aan bij de conclusie van de sociologe Brancaccio dat Freuds psychoanalyse pas relatief laat bepalend werd voor het professionele denken en handelen met betrekking tot hyperactiviteit.[33]

Op meer indirecte wijze was vanaf het midden van de jaren vijftig wel de invloed uit psychoanalytische hoek merkbaar, doordat meer aandacht werd besteed aan de emotionele ontwikkeling van het nerveuze kind. Die zou bedreigd worden omdat het kind vaak te maken kreeg met mislukkingen en afwijzingen. Door zijn slechte schoolprestaties, doordat veel mensen en kinderen het maar een lastige klant vonden en doordat het regelmatig straf kreeg, zou het kunnen gaan lijden aan gevoelens van onzekerheid, minderwaardigheid en angst, die zich echter vooral uitten in oppositioneel en asociaal gedrag, wat hem alleen nog maar meer negatieve reacties vanuit zijn sociale omgeving opleverde. Deze negatieve spiraal zou met enige goede wil 'secundaire neurotisering' genoemd kunnen worden, hoewel deze term in de voor dit hoofdstuk bestudeerde literatuur nog niet gebruikt werd.[34]

Een goed voorbeeld hiervan was Dirk van 7 jaar, een kind met 'constitutionele nervositas', die C. Rümke en Hart de Ruyter als casus opvoerden. Bij Dirk stond de bewegingsonrust voorop. De belangrijkste klacht van zijn moeder was dat hij zo'n driftkop was. Thuis waren ruzies en vechtpartijen met zijn broer en zusje aan de orde van de dag. Op school werd hij veel geplaagd en sloeg er dan meteen op los. Hij kwam vaak met kapotte kleren thuis, waarvoor zijn moeder hem dan strafte. Volgens beide auteurs was het grootste probleem echter dat zijn moeder Dirk eigenlijk niet goed kon verdragen: 'Het feit dat moeder hem "niet nam zoals hij was", zijn eigenaardigheden niet begreep en accepteerde, heeft ertoe geleid dat Dirk zichzelf niet kan accepteren. Zo komt het dat hij thans tot een heel onzekere, angstige en dan ook nog nerveuze jongen dreigt uit te groeien. Dat hij innerlijk zo onzeker is, maakt hem natuurlijk enorm kwetsbaar voor de plagerijen op school, die ook steeds weerkeren, doordat hij er altijd zo op ingaat'.[35]

Ook ten aanzien van de behandeling was van analytische invloed opmerkelijk weinig merkbaar. Niet het oplossen van onbewuste innerlijke conflicten of het voorkomen van neurotiserende gezinsrelaties stond centraal, maar het scheppen van een optimaal pedagogisch klimaat, met weinig prikkels en veel rust en regelmaat.[36] Met grote instemming haalden zowel Van Krevelen (ten aanzien van ongedurige kinderen) als Vedder (ten aanzien van nerveuze kinderen) het opvoedkundige regime aan dat Chorus propageerde: 'Tucht en discipline, vaste en consequente gewoontevorming, klare lijnen in werk en plichten, concrete scherp afgebakende opdrachten met geregelde controle'.[37]

De nadruk op tucht en discipline mag streng lijken, de meeste kinderpsychiaters waarschuwden tegen een agressieve opvoeding waarbij het kind veel bestraft en berispt werd. Daarmee zou in de hand gewerkt worden dat kinderen zich mislukt en afgewezen voelden, terwijl – zo werd vooral in de literatuur na het midden van de jaren vijftig benadrukt – ouders en onderwijzers zich moesten bedenken dat het kind geen schuld had aan zijn handicap en vooral begrip nodig had. Straffen en berispingen, evenals beloningen, zouden bovendien weinig zin hebben omdat de effecten daarvan niet beklijfden bij deze kinderen 'zonder duur'. Volgens Bakker fungeerden diagnoses als nervositas op deze manier als instrumenten ter promotie van een mildere, minder autoritaire opvoedstijl.[38]

In de oudere literatuur gold uithuisplaatsing van ongedurige en nerveuze kinderen als serieuze mogelijkheid, vanwege de negatieve invloed van de nervositeit van veel moeders en andere bronnen van onrust in het gezin.[39] Vedder schreef bijvoorbeeld in 1938: 'Vele van de klachten, die het nerveuze kind geeft verdwijnen dadelijk, wanneer het in een andere omgeving wordt geplaatst'.[40] Dergelijke pleidooien ontbraken in publicaties van ná de Tweede Wereldoorlog. Dit heeft alles te maken met de hechtingstheorie van de Engelse psychiater én 'vrijzinnig' psychoanalyticus J. Bowlby[41] die buitengewoon invloedrijk was in Nederland in de jaren vijftig en zestig. In 1951 schreef Bowlby voor de *World Health Organization* het boek 'Maternal care and mental health'. Dit boek ging over zijn onderzoek naar de gevolgen van het langdurig ontbreken van contact met de ouders op de psychische gesteldheid van kinderen. Hij onderzocht Engelse kinderen die tijdens de Tweede Wereldoorlog vanwege alle luchtaanvallen uit Londen waren geëvacueerd en daardoor lang waren gescheiden van hun ouders. Bowlby introduceerde daarbij het begrip *attachment* (hechting). Wanneer de moeder het kind afwees of geen contact maakte, zou dat later onherroepelijk tot ernstige psychische en lichamelijke stoornissen leiden. Deze opvatting beïnvloedde in Nederland het denken over de negatieve gevolgen van uithuisplaatsing van vooral jonge kinderen. Het uitgangspunt was in het vervolg, in navolging van Bowlby: 'Bad homes are often better than good institutions'.[42]

Hoewel de gezinssituatie dus centraal stond bij de behandeling van ongedurige en nerveuze kinderen, werden er ook wel medicijnen voorgeschreven. H.C. Rümke stelde bijvoorbeeld dat bij kinderlijke nervositas symptomatisch veel te bereiken was met sedativa (vooral kalkpreparaten), roborantia en levertraan. Daarnaast concludeert J.K. Buitelaar, na bestudering van patiëntendossiers van de Utrechtse kinderkliniek uit de periode 1941-1942, dat Kamp bij 'ADHD-achtige' kinderen onder andere broomzouten voorschreef.[43]

Het veelvuldig voorschrijven van medicatie bij deze groep patiëntjes door Kamp trekt volgens Buitelaar de aandacht.[44] Mogelijk had hij een meer 'eenzijdig psychisme' verwacht. Daarvan was in de periode 1930-1960 ten aanzien van ongedurigheid of nervositas in elk geval geen sprake. Anders dan vaak wordt voorgesteld, gingen de meeste kinderpsychiaters uit van een wisselwerking tussen aanleg en milieu en niet uitsluitend van slechte opvoeding of neurotiserende gezinsrelaties. Vooral van neurotisering van de opvoeding is weinig gebleken. Wel werd nadrukkelijk gewezen op opvoedingsfouten en richtte de behandeling zich vooral op de ouders en op de verbetering van de opvoedingssituatie. Deze benadering sloot naadloos aan bij de ideeën en werkwijze van de beweging voor geestelijke hygiëne (later: geestelijke volksgezondheid).

De beweging voor geestelijke volksgezondheid
De beweging voor geestelijke hygiëne was de Nederlandse variant van de Amerikaanse *Mental Hygiëne Movement*. In de Verenigde Staten hield deze beweging, in 1909 opgericht door de ex-patiënt Clifford Beers en de psychiater Adolf Meyer, zich aanvankelijk bezig met de hervorming van de psychiatrische gestichten. Eind jaren tien veranderde haar koers en werd *preventie* van psychische stoornissen haar belangrijkste doelstelling. De aandacht verschoof daarbij van geesteszieke volwassenen naar in hun ontwikkeling bedreigde kinderen. Voor de behandeling van deze kinderen werden een soort consultatiebureaus opgericht, de *Child Guidance Clinics*, waar een psychiater, een psycholoog en een psychiatrisch sociaal werkster samenwerkten in een team. In de jaren twintig werd de *Child Guidance Clinic* vanuit de Verenigde Staten in Nederland geïntroduceerd door de juriste en psychiatrisch sociaal werkster Lekkerkerker. In 1928 lukte het haar om, met hulp van progressieve kinderrechters en psychiaters, in Amsterdam het eerste zogeheten Medisch Opvoedkundig Bureau (MOB) te openen.[45]

Na de Tweede Wereldoorlog kreeg de psychohygiënistische beweging (in

Van zenuwachtig tot hyperactief

1948 omgedoopt tot beweging voor geestelijke *volksgezondheid*) de wind pas goed in de zeilen. Het aantal MOB's groeide bijvoorbeeld van 7 in 1939 tot 83 in 1962. Dat waren er meer geweest als het tekort aan gediplomeerde psychiatrisch sociaal werksters en kinderpsychiaters niet remmend had gewerkt. Ook andere ambulante instellingen die onder de vleugels van de beweging opereerden, zoals de Jeugd Psychiatrische Diensten, Bureaus voor Levens- en Gezinsmoeilijkheden en Sociaal-Psychiatrische Diensten, namen in de eerste decennia na de oorlog sterk in aantal toe. Hierdoor was er een goede institutionele basis voor psychiaters en andere disciplines uit de geestelijke gezondheidszorg om zich buiten de muren van de klinieken en gestichten te bewegen. Zo konden zij zich meer bezighouden met minder ernstige psychische stoornissen en problemen – zoals lastigheid, onhandelbaarheid, relatieproblemen met broer of zus, bedplassen, angsten én nervositeit. In sociologische optiek droeg het succes van de psychohygiënistische beweging, vooral na de Tweede Wereldoorlog, daarom in hoge mate bij aan de medicalisering of psychiatrisering van afwijkend gedrag bij kinderen.[46]

Deze ontwikkeling werd versterkt doordat er in de eerste naoorlogse jaren van links tot rechts grote bezorgdheid bestond over zedelijke verval, vooral onder jongeren, dat als gevolg van oorlog en bezetting zou zijn ontstaan. Vooraan in het koor van moreel verontruste stemmen waren de psychohygiënisten te vinden, vertegenwoordigd in de beweging voor geestelijke volksgezondheid. Al viel het feitelijk nogal mee met de morele neergang, het naoorlogse zedelijkheidsoffensief bood de beweging goede kansen om de geestelijke hygiëne hoog op de politieke agenda te krijgen.[47]

Psychohygiënisten wezen op de enorme omvang en ernst van de problemen, maar wisten ook op overtuigende wijze te beargumenteren dat juist zíj beschikten over de kennis die nodig was voor een succesvolle aanpak. De oorlogservaringen speelden daarin een belangrijke rol. 'De oorlog', zo schreef Lekkerkerker in 1945, 'heeft het enorme belang van de psychische factor in de weerbaarheid van den mensch doen zien.' Nu pas besefte men goed hoe omvangrijk neurosen en levensproblemen waren en hoe groot – ook economisch gezien – de ellende was die erdoor werd veroorzaakt. Daarnaast brachten de oorlogservaringen volgens de psychohygiënisten belangrijke nieuwe inzichten, zowel wat betreft de etiologie (oorzakenleer) als de therapie. Niet de erfelijke aanleg maar opvoeding en omgeving, vooral het gezinsmilieu, vormden de belangrijkste factoren in het ontstaan van psychische moeilijkheden en stoornissen. Aangenomen werd dat ziek en gezond in elkaar overliepen en dat tijdig ingrijpen bij lichte stoornissen ernstige ziekte kon voorkomen – een veronderstelling die niet gebaseerd was op medisch-biologische maar op psychoanalytische inzichten.[48]

Gezien deze opvattingen over preventie en tijdig ingrijpen, was het niet verwonderlijk dat psychohygiënisten de grootste prioriteit gaven aan de bevordering van de geestelijke gezondheid van kinderen. Het gezin kreeg daarbij de meeste aandacht. Daarnaast vormde de school een belangrijk aangrijpingspunt.[49] De belangrijkste schakel in de zorg voor kinderen vormden de MOB's. Zoals blijkt uit verschillende, gedetailleerde studies en beschrijvingen van de dagelijkse gang van zaken in deze bureaus, berustte de werkwijze in de MOB's in sterke mate op de psychoanalyse. Gedragingen als bedplassen, duimzuigen en nagelbijten werden dikwijls in psychoanalytische zin opgevat als symbolische uitingen van onopgeloste innerlijke conflicten.[50] De psychoanalytische oriëntatie van de MOB's betekende echter niet dat bij álle kinderen met gedragsproblemen een typisch Freudiaanse infantiele neurose werd gediagnosticeerd. Bij kinderen met symptomen van ongedurigheid en nervositas werd, zo is in het voorgaande gebleken, een aanleg- of constitutioneel probleem allerminst uitgesloten.[51]

De benadering van ongedurige en nerveuze kinderen was niet psychoanalytisch, maar ademde wel de geest van de beweging voor geestelijke volksgezondheid. In deze geest paste onder andere de gerichtheid op het gezinsmilieu en op preventie. Daarbij werden, zoals betoogd, de gezinsfactoren niet zozeer gezien als oorzaak van de gedragsproblemen, maar als bepalend voor de ernst en het verloop ervan. Dikwijls klonk de waarschuwing dat nerveuze en ongedurige kinderen vanwege hun 'wilszwakte' gemakkelijk aan lager wal raakten, wanneer zij in de verkeerde omstandigheden opgroeiden.[52] Het preventieve belang van de herkenning en behandeling van deze kinderen én hun ouders behoefde zo in de ogen van de meeste (kinder)psychiaters nauwelijks meer betoog. Dat was uit psychohygiënisch gezichtspunt groot, temeer omdat nervositas en ongedurigheid als veel voorkomend werden beschouwd. Nerveuze of ongedurige kinderen zouden bijvoorbeeld een groot deel uitmaken van de kinderen op scholen voor moeilijk opvoedbaren of die werden aangemeld op de MOB's.[53]

Zo was de literatuur over het ongedurige en nerveuze kind doordrenkt met psychohygiënistische elementen, zoals bezorgdheid om de geestelijke en zedelijke (volks)gezondheid, een groot geloof in de noodzaak en het nut van vroege, preventieve interventie en een sterke gerichtheid op het gezin.

Van zenuwachtig tot hyperactief

Ook deze elementen waren mede geïnspireerd op het werk van Freud, maar van een expliciet psychoanalytische duiding en behandeling van ongedurigheid en nervositas was geen sprake.

Samenwerking tussen school en psychiatrie?

De school en ongedurige en nerveuze kinderen
De psychohygiënistische beweging had niet alleen inhoudelijk grote invloed, maar was ook een belangrijke katalysator van de institutionele uitbreiding van de ambulante geestelijke gezondheidszorg, vooral na de Tweede Wereldoorlog. Zoals betoogd, kregen psychiaters en bijvoorbeeld psychologen daardoor meer daadwerkelijke bemoeienis dan voorheen met kinderen met ADHD-achtige verschijnselen. Volgens Brancaccio en andere sociologen was dit proces van medicalisering of psychiatrisering echter niet mogelijk geweest zonder de medewerking van ouders en onderwijzers. Het was daarbij wel behulpzaam dat psychiaters door de oprichting van instellingen als MOB's gemakkelijker beschikbaar en minder 'ver van het bed' waren voor ouders en onderwijzers dan toen ze nog uitsluitend binnen de muren van klinieken en gestichten werkzaam waren. Bovendien werden er door de opkomst van de testpsychologie banden gesmeed tussen scholen en MOB's. Naarmate het buitengewoon onderwijs zich sterker ontwikkelde, werd het steeds gebruikelijker dat scholen leerlingen die daar mogelijk voor in aanmerking kwamen naar een psycholoog stuurden voor de afname van tests. Veel van de psychologen werkten in of vanuit MOB's.[54]

Mede doordat onderwijs en geestelijke gezondheidszorg zo dichter bij elkaar kwamen te staan, konden onderwijzers – althans dat betogen sociologen en historisch pedagogen – een zeer bepalende rol spelen bij de medicalisering van afwijkend kindergedrag. Leerkrachten zouden vaak als eerste het overmatig drukke gedrag en de slechte concentratie van kinderen signaleren en hen vervolgens doorverwijzen naar medici. Bovendien zouden de informatie en meningen van leerkrachten vaak van doorslaggevende betekenis zijn bij de diagnostiek. Ongedurigheid en nervositas, maar ook ADHD, zouden daardoor een sterk 'situationeel' karakter hebben. Daarmee wordt bedoeld dat de schoolklas, de eisen die daar aan het kind werden gesteld en de normen van de onderwijzer bepalend waren voor het ontstaan van de 'stoornis'.[55] Volgens verschillende sociologen is de medicalisering van overactief gedrag bij kinderen om deze redenen 'de uitkomst van een proces van samenwerking en wederzijdse legitimatie tussen school en psychiatrie'.[56]

In de vakliteratuur over ongedurige en nerveuze kinderen uit de periode 1930-1960 is tot op zekere hoogte ondersteuning te vinden voor deze zienswijze. Daarin werd namelijk keer op keer gesteld dat de problemen van deze kinderen zich pas openbaarden zodra ze op de lagere school kwamen. Weliswaar was thuis, op jongere leeftijd hun drukke gedrag ook wel opgevallen, maar daarmee leken zij juist bijdehand en vlot. Eenmaal op school, waar discipline en concentratievermogen werden gevraagd, werd in de meeste gevallen duidelijk dat er echt iets aan de hand was met deze kinderen.[57]

Op de problemen op school werd (ten opzichte van de problemen thuis) in publicaties over ongedurigheid en nervositas ook opvallend uitgebreid ingegaan. Representatief is de volgende opsomming van de psycholoog Chorus over het schoolwerk van ongedurige kinderen:

'1. Allen zijn "schuw" van werk.
2. Zij worden door alles en iedereen "afgeleid".
3. Zij moeten voortdurend worden aangespoord en de meesten hebben permanente strakke contrôle nodig om tot tastbare resultaten te komen.
4. In hun werk zijn ze slordig, knoeierig, maken veel fouten; ze werken óf zeer langzaam óf zeer vlug met veel fouten en correcties.
5. Naarmate de opgedragen taak langer duurt werken ze slechter en met gestadige toename van fouten.
6. Bij allen is vooral "schrijven" een zeer zwakke stêe.
7. Het beste werken ze in onderlinge concurrentie, wanneer ieder veel winstkansen heeft'.[58]

Niet alleen werden de problemen op school benoemd, ook droegen veel auteurs oplossingen aan, waarvan er veel nog altijd actueel zijn. Te denken valt aan het zorgen voor veel structuur, weinig prikkels en voldoende rust. Chorus promoveerde op een onderzoek naar het gebruik van een *metronoom* bij ongedurige kinderen. Chorus meende dat het tempo waarin kinderen hun schoolwerk deden beter en vooral constanter werd wanneer je een tikkende metronoom naast ze zette! Veel auteurs noemden ook nadrukkelijk de mogelijkheid om ongedurige of nerveuze kinderen naar een speciale

school te sturen met kleinere klassen en veel minder prikkels dan op normale scholen. Enkelen pleitten voor plaatsing op zogenaamde 'openlucht-
scholen' en (tijdens de zomer) in vakantiekolonies. Daar werd niet alleen
optimaal voldaan aan de eisen van rust en regelmaat, maar kon ook het buiten zijn in de natuur zijn heilzame invloed hebben. Volgens Van Krevelen
was Montessori-onderwijs juist uit den boze, omdat ongedurige kinderen
niet tot 'zelfstandige ordening' in staat waren.[59]

Zo waren ongedurigheid en nervositas 'situationele' diagnoses, die in zekere zin pas in de schoolklas ontstonden als medische categorie. Omdat
symptomen als slechte aandachtsconcentratie dáár meestal werkelijk aan de
oppervlakte kwamen, is de veronderstelling plausibel dat de figuur van de
onderwijzer, met diens persoonlijke meningen en eigenschappen, dikwijls
een grote inbreng had bij de signalering en vaststelling van deze 'stoornissen'. Dit betekent ook dat ontwikkelingen in het onderwijs als geheel
mede bepaalden welk gedrag als pathologisch en welk als normaal werd
bestempeld. Het is daarom goed denkbaar dat de geschiedenis van ADHD
is beïnvloed door zaken als de grootte van schoolklassen, de heersende opvattingen over hoe schoolkinderen zich dienden te gedragen, de inhoud en
vorm van het schoolprogramma, de in de loop van de tijd groter wordende
aandacht voor de sociaal-emotionele ontwikkeling van kinderen en de verfijning van psychologische testmethoden.[60]

De onderwijzer en de psychiater
Dit betekent echter niet dat er sprake was van het door sociologen veronderstelde 'proces van samenwerking en wederzijdse legitimatie van school
en psychiatrie'. Het beeld dat leerkrachten en onderwijzers eendrachtig
bezig waren de ordeproblemen op school op te lossen door ze te medi-
caliseren, kan geen standhouden. De belangen, doelen en inzichten liepen
daarvoor teveel uiteen.[61] Dit werd in 1958 expliciet verwoord door de psychiater Vedder in zijn in de *onderwijs*wereld veelgebruikte leerboek over
leer- en gedragsstoornissen: 'Psychiater en onderwijzer beschouwen elkaar
soms met wantrouwende blikken – laat ons dit eerlijk uitspreken. De onderwijzer koestert wel eens de gedachte dat de psychiater iemand is, die
alle wangedragingen van het kind probeert goed te praten en van oordeel
is, dat je het zoveel mogelijk zijn gang moet laten gaan [...]. Omgekeerd
beklaagt de psychiater zich over het feit dat de onderwijzer soms zo weinig

kijk op het kind heeft, het zo slecht begrijpt, niet doorziet wat er achter die moeilijke gedragingen zit en op ontactische wijze tegen het kind optreedt. De onderwijzer laat zich soms in zijn beoordeling alleen leiden door de schoolprestaties, maar let niet op de individualiteit van het kind'.[62]

In zijn afscheidsoratie in 1973 noemde Hart de Ruyter de school zelfs een *toxisch* (=giftig) *systeem*: 'Het kind wordt er klaar gemaakt voor een gemeenschap waarin het leert met de ellebogen te werken, anderen de loef af te steken, zich aan te passen aan een systeem van competitie en individuele prestatie; van braaf zijn zonder eigen inbreng of mogelijkheden om creatief te zijn. Kortom, het kind leert op school anti-sociaal en naar de schijn aangepast te zijn'.[63] Hoewel het begrip 'geestelijke overlading' (zie hoofdstuk 2) aan invloed inboette, bleven sommige psychiaters de school dus beschouwen als een ongezonde, onnatuurlijke omgeving voor het kind, die een goede sociale en emotionele ontwikkeling in de weg kon staan.[64]

Besluit

In dit hoofdstuk is een opvallende continuïteit aan het licht gekomen, vooral ten aanzien van het gebruik van termen als zenuwachtigheid, neurasthenie, neuropathie en nervositas. Vanaf de jaren 1890 tot en met de jaren 1960 bleef de betekenis die in de vakliteratuur aan deze begrippen werd gegeven in essentie dezelfde. Gedurende deze lange periode werd gesproken van een veel voorkomend ziektebeeld, dat voortkwam uit een wisselwerking tussen een erfelijke aanleg of een kwetsbare constitutie enerzijds en het milieu anderzijds.

Uiteraard waren er ook wel veranderingen. De aandacht verschoof bijvoorbeeld van maatschappelijke invloeden naar de gezinssituatie. Van 'neurotisering' is echter weinig gebleken. In de vakliteratuur over ongedurigheid en nervositas uit de periode 1930-1960 ontbraken psychoanalytische noties als onbewuste innerlijke conflicten of neurotiserende gezinsrelaties. De benadering was eerder 'medisch-pedagogisch': deze stoornissen hadden een duidelijke organische basis. Als aanpak werd gepleit voor een opvoedkundig regime dat vooral bestond uit rust en regelmaat. Gezinsfactoren en opvoeding werden niet als oorzaak gezien, maar wel als zeer bepalend voor de ernst en het beloop van de stoornis. In de verkeerde gezinsomstandigheden zouden ongedurige en nerveuze kinderen gemakkelijk aan lager wal raken. Vooral in preventief opzicht werden advisering en begeleiding van de ouders van deze kinderen van groot belang geacht. Deze zienswijze was kenmerkend voor de beweging voor geestelijke volksgezondheid.

In tegenstelling tot neurotisering was wel van medicalisering sprake – tenminste, wanneer deze term in neutrale zin wordt gedefinieerd als de uitbreiding van het werkterrein van medici. De ambulante geestelijke gezondheidzorg groeide in de jaren dertig mondjesmaat, maar na de Tweede Wereldoorlog explosief. Onder de vleugels van de beweging voor geestelijke volksgezondheid verspreidde het netwerk van voorzieningen als Medisch Opvoedkundige Bureaus (MOB's) zich over het hele land. Psychiaters, psychologen en psychiatrisch sociaal werkers kregen daardoor steeds vaker te maken met relatief lichte gedragsproblemen, zoals ongedurigheid en nervositas.

Onderwijzers en meer in het algemeen het onderwijs hebben volgens sociologen een cruciale rol gespeeld in dit 'medicaliseringsproces'. Daar is ook wel iets voor te zeggen: de problemen van ongedurige en nerveuze kinderen kwamen volgens de deskundigen vooral aan het licht op school. Daar presteerden ze namelijk slecht, als gevolg van hun snelle afleidbaarheid, beperkte concentratievermogen en onbeholpen handschrift. Met hun onrust en ongedurigheid verstoorden zijn daarnaast de orde in de klas. Het is echter niet zo, dat onderwijzers en psychiaters harmonieus samenwerkten aan de medicalisering van afwijkend kindergedrag. Zowel hun belangen als hun visie op 'lastige leerlingen' liepen vaak uiteen.

HOOFDSTUK 4: MBD (CA. 1960-1985)[1]

Inleiding: strijd tussen twee culturen?

Begin jaren zestig kwam uit de Verenigde Staten een nieuw ziektebegrip overwaaien ter aanduiding van 'ADHD-achtige' kinderen: 'MBD' – ofwel Minimal Brain *Damage*, en vanaf 1966 formeel Minimal Brain *Dysfunction*. Het MBD-concept dateerde van het begin van de twintigste eeuw, maar werd vooral vanaf de jaren vijftig in de Verenigde Staten nadrukkelijk door neurologen gepropageerd als 'organicistisch' alternatief voor de psychoanalytische visie op de onderliggende gedragsproblematiek.[2]

In de loop van de jaren zestig en zeventig raakte het MBD-begrip geleidelijk aan ingeburgerd in de Nederlandse geestelijke gezondheidszorg. Dat was een opvallende ontwikkeling, omdat in deze periode het 'medische model' in de psychiatrie zowel van buitenaf als van binnenuit onder vuur lag, onder andere van de zogenaamde antipsychiatrische beweging. Bovendien was de kinderpsychiatrie in deze periode meer dan ooit psychoanalytisch georiënteerd. Op de vier leerstoelen kinderpsychiatrie die in Nederland tussen 1956 en 1969 werden opgericht, kwamen psychoanalytici terecht, terwijl prominente niet-analytische kinderpsychiaters werden gepasseerd. Daarnaast was het Freudiaanse gedachtegoed ook zeer bepalend voor de werkwijze in de MOB's, de belangrijkste ambulante instellingen in de kinderpsychiatrie. Om deze redenen wordt vaak gesteld dat de kinderpsychiatrie, meer nog dan de volwassenenpsychiatrie, gedomineerd of zelfs overheerst werd door de psychoanalyse.[3]

Dit had ook invloed op de omgang met 'ADHD-achtige' kinderen. In de loop van de jaren vijftig kreeg, zoals in het vorige hoofdstuk gemeld is, de emotionele ontwikkeling van nerveuze kinderen steeds meer aandacht. Deze trend zette in de jaren zestig en zeventig door. Vanwege de sterke naoorlogse economische groei raakten materiële zorgen op de achtergrond. Begin jaren zestig waren er bijna geen leerlingen meer in schoolklassen te vinden die ondervoed waren en opgroeiden onder armoedige omstandigheden. Ook de verontrusting over 'asociale' gezinnen uit de stedelijke onderklasse nam af. Zo schiep de grotere welstand de ruimte voor een meer (diepte-)psychologische benadering van het kind.[4]

In deze context konden niet-medische disciplines als de orthopedagogiek en de psychologie zich sterk ontwikkelen als belangrijke concurrenten voor de kinderpsychiatrie. Deze disciplines profiteerden van de uitbreiding van de zorg- en welzijnsvoorzieningen (en de financiële vergoeding daarvan), die mogelijk was gemaakt door de sterke naoorlogse economische *boom*. Waren psychologen in de jaren veertig en vijftig nog vrijwel altijd testpsychologen, in de jaren zestig en zeventig ontpopte de meerderheid zich tot psychotherapeuten en behandelaars. Ook maatschappelijk werkers en orthopedagogen bedreven in toenemende mate (psycho-)therapie. Daarbij begon de psychotherapie zich steeds meer te manifesteren als een aparte professie, met een eigen beroepsvereniging en een eigen opleiding. Datzelfde gold voor de *kinder*psychotherapie. Onder invloed van deze 'opkomst van het psychotherapeutische bedrijf' zijn de jaren zeventig het 'ik-tijdperk' gedoopt. Een ideologie van zelfontplooiing, persoonlijke groei en zelfbewustzijn overheerste. In dit klimaat drongen psychologische concepten en opvattingen, ook over 'drukke' kinderen, steeds dieper door in de samenleving.[5]

Het is opmerkelijk dat in deze context van 'psychologisering' het *neurologische* MBD-concept geleidelijk aan ingeburgerd raakte in Nederland en elders in Europa. In de literatuur wordt deze situatie omschreven als een duidelijke scheiding van de geesten in twee kampen: enerzijds psychiaters, psychologen en psychotherapeuten met een psychodynamische benadering van ADHD-achtige verschijnselen, anderzijds neurologen en kinderartsen die het MBD-begrip omarmden. Deze twee 'culturen' zouden in de jaren zestig en zeventig naast elkaar bestaan hebben, verwikkeld in een hevige concurrentiestrijd.[6]

In dit hoofdstuk wordt deze voorstelling van zaken geproblematiseerd. Eerst wordt de ontwikkeling van het MBD-concept geschetst. Daaruit zal blijken dat het altijd een omstreden concept is geweest, dat alternatieve begrippen en benaderingen nooit heeft kunnen verdrijven. Mede daardoor was de situatie veel minder overzichtelijk dan vaak in de literatuur wordt gesuggereerd. Vervolgens wordt het beeld van een scherpe scheiding tussen een psychodynamische en neurologische cultuur onderuit gehaald. Beschreven wordt namelijk hoe Nederlandse kinderpsychiaters de toepassing van

het MBD-concept moeiteloos wisten te combineren met een psychodynamische oriëntatie en behandeling. Tevens zal blijken dat in plaats van een
helder onderscheid tussen twee richtingen, sprake was van een grote diversiteit aan benaderingen en betrokken disciplines. Het laatste deel van dit
hoofdstuk gaat over de sterke toename rond 1980 van het aantal kinderen
dat de diagnose MBD kreeg. In het klein deed zich iets vergelijkbaars voor
als de huidige ADHD-epidemie!

MBD en alternatieven[7]

Een omstreden concept
Het MBD-concept (*Minimal Brain Damage*) is voor een belangrijk deel
ontsproten aan onderzoek, dat tussen de jaren dertig en vijftig van de vorige eeuw door vooral Amerikaanse neurologen is verricht onder kinderen
met een *bekende* hersenbeschadiging. Daarbij ging het bijvoorbeeld om kinderen die getroffen waren geweest door de wereldwijde *encefalitis letargica*
epidemie in 1918. Aan deze ontsteking van het hersenweefsel hadden zij,
naast grove neurologische afwijkingen, symptomen als overmatige prikkelbaarheid, hyperactiviteit, verhoogde afleidbaarheid en antisociaal gedrag
overgehouden. Toen enkele onderzoekers deze gedragskenmerken ook ge-
isoleerd zagen optreden bij kinderen, concludeerden ze dat die ook een hersenbeschadiging moesten hebben, zij het een lichtere dan de patiëntjes met
abnormale neurologische symptomen. Op deze manier werd het MBD-
concept, vooral in de jaren veertig en vijftig, drastische verbreed. Dit stuitte
van begin af aan op de breed gedragen kritiek dat hier een ongeoorloofde
omdraaiing werd toegepast: als bekende hersenschade leidde tot bepaalde
gedragskenmerken, betekende dat nog niet dat wanneer die gedragingen
zich geïsoleerd voordeden er per definitie een hersenbeschadiging aan ten
grondslag lag.
    Uiteraard was wel onderzocht in hoeverre er bij kinderen met ongedurig
gedrag aanwijzingen bestonden voor een hersenbeschadiging, bijvoorbeeld
door na te gaan of er sprake was van (lichte) neurologische afwijkingen
of zuurstoftekort rond de geboorte. Inderdaad bleken dergelijke zaken bij
'MBD-kinderen' relatief vaker voor te komen dan normaal. Dit bewees
volgens critici echter niets. Er bleef een grote groep MBD-kinderen over
zonder enige aanwijzing voor hersenbeschadiging, die toch de typische ge-

dragskenmerken lieten zien. Bovendien vertoonden veel kinderen van wie *bekend* was dat ze een zuurstoftekort bij de geboorte of anderszins een hersenbeschadiging hadden opgelopen *geen* overactief gedragspatroon. Terwijl de term MBD een duidelijke somatische pathologie (lichamelijke ziekte) impliceerde, was volgens critici dus geen specifieke oorzaak aan te wijzen voor de daaronder vallende gedragskenmerken. Allerlei factoren, naast lichamelijke ook psychische en sociale, konden een rol konden spelen, tevens kon de oorzaak per kind verschillen.

Mede vanwege deze kritiek werd tijdens een drietal internationale 'consensusconferenties', die tussen 1962 en 1966 in Engeland en de Verenigde Staten werden gehouden, besloten *damage* te vervangen door *dysfunction*. Deze naamswijziging was volgens de psycholoog A.F. Kalverboer eerder een kwestie van bescheidenheid dan van inzicht ('more an indication of modesty than a contribution to the insight in the problem of neurobehavioural connections in children').[8] In de Nederlandse literatuur bleef Minimal Brain *Damage* in gebruik, naast en als synoniem van Minimal Brain *Dysfunction*. De laatste term impliceerde evenzeer als de eerste een organische, cerebrale afwijking. Wel was sprake van een verbreding van de etiologie (oorzakenleer). Terwijl *damage* verwees naar bijvoorbeeld bij de geboorte opgelopen schade, kon *dysfunction* ook duiden op biochemische, toxische, diëtistische en erfelijke oorzaken.

Naar al deze risicofactoren is veel onderzoek gedaan, bijvoorbeeld naar de invloed van kleurstoffen in voedsel. Dat leverde echter weinig op. Het is dan ook niet verwonderlijk dat de kritiek op het MBD-concept ook na de naamswijziging niet verstomde. Alom werd betoogd dat het concept slecht omschreven was, vage grenzen had en geen valide diagnostische categorie maar een (te) grote, heterogene groep kinderen betrof.[9]

Babylonische spraakverwarring

Het controversiële karakter van het MBD-concept heeft bijgedragen aan een voor de historicus lastig probleem. Kritische artsen en psychiaters weigerden het MBD-begrip toe te passen en hanteerden hun eigen ziektedefinities. Dit leidde volgens de Nederlandse psychiater R. Vedder tot een 'Babylonische spraakverwarring'.[10] De Amerikaanse werkgroep die in 1966 een internationale consensusconferentie over MBD organiseerde, constateerde dat er niet minder dan 38 min of meer synonieme begrippen in de omloop waren, waaronder 'organic brain disease', 'cerebral dysfunctions', 'minimal chronic brain syndrome', 'charachter-impuls disorder' en 'hyper-kinetic behaviour syndrome'. Ook deze conferentie, die leidde tot boven-genoemde verandering van *damage* in *dysfunction*, bracht niet de beoogde eenduidigheid. Men besloot namelijk om naast MBD het *hyperkinetic reaction of childhood syndrome* te onderscheiden. Bij dit laatste begrip ging het om hetzelfde symptomencomplex als bij MBD, maar werd geen organische etiologie verondersteld. Een andere term die ook na 1966 veel in gebruik bleef, was *hyperkinetic disorder* (hyperkinetische stoornis). Veel diagnostici volstonden ook met de term *hyperactivity* (hyperactiviteit). Zij prefereerden een gedragsbeschrijvende benaming boven ziektedefinities die een bekende etiologie suggereerden terwijl daar onvoldoende wetenschappelijk bewijs voor was. Zo bleven er meerdere begrippen die (vrijwel) hetzelfde sympto-mencomplex aanduidden naast elkaar bestaan.

Een voor de hand liggende, maar moeilijk te beantwoorden vraag is: wie gebruikte welke term? Verondersteld zou kunnen worden dat biologisch georiënteerde artsen en psychiaters een voorkeur hadden voor MBD, ter-wijl hun psychoanalytisch georiënteerde collega's kozen voor *Hyperkinetic Reaction of Childhood Syndrome* of andere alternatieven. Dat zou prima pas-sen bij het dikwijls geschetste beeld van een strijd tussen twee culturen. De toepassing van het MBD-concept door psychoanalytisch georiënteerde kinderpsychiaters in Nederland wijst echter iets anders uit, zoals in het ver-volg zal blijken.

MBD én psychoanalyse in Nederland

Introductie van MBD in Nederland
De eerste die in Nederland *minimal brain damage* introduceerde was naar alle waarschijnlijkheid Th. Hart de Ruyter, psychoanalyticus (!) en hoogle-raar kinderpsychiatrie in Groningen. In 1961 wijdde hij een klinische les aan 'de psychische ontwikkeling van kinderen met lichte hersenbeschadi-ging'. Ook in het leerboek dat hij elf jaar later samen met Kamp schreef, besteedde hij een hoofdstuk aan de MBD-problematiek. Als verschijnselen noemde Hart de Ruyter bijvoorbeeld chaotisch denken en doen, zeer ge-ringe frustratie-tolerantie, affectieve onzekerheid, een geringe spannings-boog voor de aandacht en onvermogen zich tegen bijkomende prikkels af te schermen.[11]

Deze opsomming van symptomen wijkt weinig af van de beschrijvingen van ongedurigheid door Chorus en Van Krevelen. Door het ontbreken van lichamelijke verschijnselen als vermoeidheid en maag- en darmklachten, is er wat meer verschil met nervositas (zie hoofdstuk 3). Van groter belang is de verandering in het etiologische denken, waarvan sprake lijkt te zijn. Weliswaar werd ook voorheen invloed van biologische factoren verondersteld, zoals het bestaan van een nerveuze constitutie, maar de termen die Hart de Rutyer gebruikt, zoals 'lichte hersenbeschadiging' en 'lichte cerebrale stoornis' wijzen explicieter en specifieker in de richting van een organische oorzaak.[12]

Deze verandering komt ook naar voren in het leerboek van R. Vedder, *Kinderen met leer- en gedragsmoeilijkheden*, dat tussen 1958 en 1983 meerdere, regelmatig herziene herdrukken beleefde. Vanaf de achtste, herziene druk uit 1971 nam Vedder een hoofdstuk op getiteld 'het cerebraal gestoorde kind (het MBD-kind)'[13], waarin hij schreef: 'In een vorig decennium is, mede onder invloed van het rapport van Bowlby en van publicaties van andere auteurs, de belangstelling der kinderpsychiaters sterk gericht geweest op de ongunstige invloed van een affectieve verwaarlozing in de vroege jeugd op de geestelijke ontwikkeling van het kind, met name op het ontstaan van ernstige gedragsstoornissen. De laatste jaren zien wij, dat er een bijzonder grote interesse bestaat voor het organisch-beschadigde kind. Wij zagen immers dat er bij zeer moeilijk opvoedbare kinderen in een groot aantal gevallen duidelijke indicaties zijn in de voorgeschiedenis of bij het onderzoek, die wijzen in de richting van een lichte hersenbeschadiging'.[14] Deze ontwikkeling had volgens Vedder duidelijke consequenties voor de houding die tegenover ouders werd ingenomen: 'De tijd dat men uitsluitend de ouders de schuld gaf van de gedragsmoeilijkheden van hun kinderen, lijkt voorbij. Verfijning van de diagnostiek [...] heeft wel geleerd dat aan ernstige gedragsmoeilijkheden van kinderen [...] dikwijls een organische oorzaak ten grondslag ligt'.[15]

Het is uiteraard de vraag of het hier gaat om een werkelijke verandering of vooral om de perceptie van Vedder. In hoofdstuk 3 is immers betoogd dat in de periode 1930-1960 van een 'eenzijdig psychisme' geen sprake was. Vedder stond echter niet alleen in zijn opvatting. Zo lijkt C. Rümke in een artikel uit 1973 eveneens te zinspelen op een dergelijke omslag in het denken: 'Het is in de kinderpsychiatrie een reeds lang niet meer omstreden feit dat – ook lichte – cerebrale beschadigingen of dysfuncties een belangrijke

Van zenuwachtig tot hyperactief

rol kunnen spelen in de genese van gestoord gedrag en psychopathologie bij kinderen'.[16]

Dit alles is op het eerste gezicht moeilijk te rijmen met de dominantie van de psychoanalyse in de kinderpsychiatrie van de jaren zestig en zeventig. Een inmiddels gevestigd beeld is, dat in deze decennia de biologische kant van psychopathologie werd ontkend en de ouders de zwarte piet kregen toegeschoven. Kinderpsychiaters als Hart de Ruyter en C. Rümke zagen echter geen enkele tegenstrijdigheid in de toepassing van het 'organicisti-sche' MBD-concept in combinatie met een psychodynamische benadering in de behandelpraktijk, zoals hieronder zal blijken.

Psychodynamische behandeling

De introductie van het MBD-concept in Nederland wordt wel toegeschreven aan de toenemende Amerikaanse invloed op de Nederlandse (kinder-) psychiatrie. Ten aanzien van de behandeling bestond echter een groot ver-schil met de Verenigde Staten. Nadat de gunstige invloed van stimulerende middelen (amfetaminen) op overactieve kinderen bij toeval was ontdekt in de jaren dertig en vooral na de introductie van Ritalin® (met de amfetami-ne-achtige werkzame stof methylfenidaat) in de jaren vijftig, nam het ge-neesmiddelengebruik bij 'MBD-kinderen' een hoge vlucht in de Verenigde Staten. In het midden van de jaren zeventig slikte daar naar schatting 2% van de schoolgaande kinderen methylfenidaat.[17] In Nederland (en de mees-te andere Europese landen) waren kinderpsychiaters en medici tot ver in de jaren tachtig zeer terughoudend met het voorschrijven van psychofarmaca *bij kinderen.* Dat ging in het bijzonder op voor methylfenidaat. Daarvan zou de werkzaamheid onvoldoende zijn aangetoond. Bovendien bestond er grote beduchtheid voor de mogelijke bijwerkingen, niet in de laatste plaats omdat amfetaminen en dus ook Ritalin® golden als verslavende middelen en als zodanig waren opgenomen in de opiumwet.[18]

De geringe geneigdheid deze middelen voor te schrijven kwam echter ook voort uit een visie op de ontwikkeling van het (MBD-)kind die – an-ders dan het denken over het ongedurige en nerveuze kind in de voorgaan-de periode – sterk psychoanalytisch gekleurd was.[19] Deze psychoanalytische visie hield, in navolging van Anna Freud (dochter van), in dat vooral de gezonde ontwikkeling van het Ik voorop stond. Idealiter ontwikkelde het kind zich bijvoorbeeld van totale egocentriciteit tot kameraadschap en van volstrekte afhankelijkheid tot zelfstandigheid. De liefdevolle 'object-relatie' die het kind met de moeder onderhield was daarbij essentieel, bijvoorbeeld voor de ontwikkeling van basisvertrouwen in de pre-oedipale fase (baby- en peuterjaren) en een gezond geweten in de oedipale fase (kleuterjaren). Wanneer daarentegen sprake was van affectieve verwaarlozing, zou in de pre-oedipale fase fundamentele onzekerheid en instabiliteit van het gevoelsleven optreden met (mogelijk) affectieve relatiestoornissen, psychopathie en ernstige emotionele stoornissen als gevolg. In de oedipale fase zou de typisch Freudiaanse infantiele neurose kunnen ontstaan.[20]

De kern van de problematiek van het MBD-kind lijkt volgens de kinderpsychiatrische literatuur uit de jaren zestig en zeventig niet te liggen in de organische stoornis, maar in het risico van een zwakke Ik-ontwikkeling en affectieve verwaarlozing. Dit had, in ieder geval bij C. Rümke, ook een pragmatische kant. Naar zijn overtuiging kon het gestoorde gedrag van een MBD-kind niet alleen worden verklaard uit de organische (lichte) hersenbeschadiging. Er moest 'iets' bijkomen. Juist de herkenning van dat 'iets' gaf kansen voor preventie en hulpverlening: 'Immers, de cerebrale laesie is, op het moment dat deze ontdekt wordt, meestal niet meer ongedaan te maken; aan het 'iets' dat er bij komt is veelal *wel* wat te doen'.[21]

De sterke gerichtheid van kinderpsychiaters op het risico van een zwakke Ik-ontwikkeling en affectieve verwaarlozing bij 'MBD-kinderen' berustte echter bovenal op de gedachte dat deze kinderen door hun cerebrale (hersen-)stoornis extra kwetsbaar waren voor de schadelijke invloed van milieufactoren. Zelfs zaken die normale kinderen niet uit het evenwicht zouden brengen, konden hun gezonde geestelijke ontwikkeling frustreren. 'MBD-kinderen' raakten bijvoorbeeld snel verward bij onrust of veranderingen in het gezinsmilieu, waardoor de basiszekerheid in de relatie met de ouders moeilijk tot stand kwam. Zonder deze basis, die in de pre-oedipale fase gelegd zou moeten worden, kon gemakkelijk een psychopathische ontwikkelingsstoornis ontstaan. Dit gebeurde ook als 'ouders in absolute zin zeker niet tekortschoten'.[22] De kwetsbaarheid van het kind maakte, in de woorden van Hart de Ruyter, dat aan de ouders 'eisen worden gesteld, die ver uitgaan boven datgene wat intuïtief kan worden opgebracht'.[23] Bovendien hadden de moeilijkheden die het kind gaf, vaak ook hun invloed op de moeder. Die kon bijvoorbeeld onzeker worden door het gedrag van het kind, het wijten aan eigen tekortkomingen en daar schuldgevoelens over krijgen. Het was zeer goed invoelbaar, aldus verschillende kinderpsychiaters, dat moeders ook geprikkeld, teleurgesteld of zelfs wanhopig zouden worden. De ambivalente gevoelens die veel moeders aldus ontwikkelden ten opzichte van hun kind, hadden op hun beurt een negatieve invloed op het gevoel van veiligheid van het kind, dat daardoor emotionele stoornissen kon ontwikkelen en nog lastiger gedrag zou vertonen. De onzekerheid en tegenstrijdige gevoelens van de moeder zouden als gevolg daarvan alleen maar toenemen. Zo raakten ouders en kind gevangen in een vicieuze cirkel. De situatie werd bovendien vaak nog erger als het kind naar school ging en door leerkrachten en ouders bestraft werd voor de slechte aandachtsconcentratie en het drukke gedrag in de klas.[24]

In de kinderpsychiatrische literatuur uit de jaren zestig en zeventig over het MBD-kind staat de preventie van deze ongunstige wisselwerking tussen kind en milieu, van deze 'secundaire neurotisering'[25] van het kind centraal. Zo vroeg mogelijk moest onderkend worden wat er aan de hand was met het kind. Aan ouders en leerkrachten moest vervolgens begrip bijgebracht worden voor het kind, zodat ze het niet meer verantwoordelijk stelden voor het moeilijke gedrag. Daarnaast moest hun geleerd worden hoe ze het juiste opvoedingsklimaat konden scheppen, dat bovenal diende te bestaan uit veiligheid, rust en zekerheid. Door op deze manier opvoedingsfouten te vermijden, kon affectieve verwaarlozing voorkomen worden en zouden op den duur de meeste symptomen geleidelijk verminderen en soms zelfs helemaal uitgewist worden. Gebeurde dat echter niet, dan zou als gevolg van affectieve verwaarlozing en secundaire neurotisering een voortdurende verergering van symptomen optreden.[26]

Deze preventieve aanpak komt sterk overeen met die ten aanzien van het nerveuze of ongedurige kind in de periode 1930-1960. Bij de behandeling van kinderen bij wie zich reeds haperingen in de (Ik-)ontwikkeling voordeden, werd de pedagogische getinte benadering uit de voorgaande periode echter niet meer afdoende gevonden. Het opvoedkundig bijsturen van het afwijkende gedrag van kinderen had vanuit psychoanalytische optiek weinig zin, als niet eerst de onderliggende oorzaak van dat gedrag, het onbewuste innerlijke conflict dat het kind parten speelde, was weggenomen.[27] Dit standpunt werd in 1975 door de Amsterdamse kinderpsychiater Raggers-van der Zaal als volgt verwoord: 'Mijns inziens kan echter een orthopedagogische benadering pas optimale resultaten opleveren als de weg naar een progressie in de ontwikkeling van het kind vrijgemaakt is. Juist bij de groep kinderen waar [...] een psychopathologische ontwikkeling heeft plaatsgevonden kunnen remmingen en blokkades deze progressie in de weg staan. Hier lijkt direct een psychotherapeutische interventie noodzakelijk om belemmeringen uit de weg te gaan, opdat het kind daarnaast via de orthopedagogiek optimaal zijn mogelijkheden leert gebruiken'.[28]

Raggers-van der Zaal illustreerde dit aan de hand van een casus uit de kinderpsychiatrische kliniek van de Universiteit van Amsterdam waar ze werkzaam was: Richard, een jongetje van zes jaar oud met een 'lichte organisch-cerebrale hersenfunctiestoornis'. De moeder omschreef hem als een erg onrustige jongen, die niet speelde, de hele dag rondjes om de tafel liep en geen enkel contact had met leeftijdgenootjes. Verder had Richard volgens zijn moeder ernstige slaapproblemen en vertoonde hij 'auto-agressief gedrag'. Zijn spraakontwikkeling was pas na zijn vijfde jaar op gang gekomen. Door de kinderneuroloog was hij gekwalificeerd als een jongen met een vertraagde ontwikkeling, spastische spitsvoeten, een lui oog en een EEG dat een 'symmetrisch te sterk onregelmatig beeld' vertoonde.[29]

Volgens Raggers-van der Zaal manifesteerde Richard zich als 'een kleuterachtige, angstige, zich aan moeder vastklampende jongen, in een symbiotische relatie met haar oscillerend van 2-jarig tot 4-jarig niveau'.[30] De vele angsten die Richards ontwikkeling belemmerden, waren 'vermoedelijk mede door de angstige, inperkende houding van de ouders' ontstaan.[31] De behandeling was er vooral op gericht de moeder inzicht te geven in de invloed van haar eigen houding op het gedrag van haar zoon en haar vervolgens te leren hoe om te gaan met het kind. Het resultaat was uiteindelijk, stelde Raggers-van der Zaal, dat het kind een stuk weerbaarder werd en er een duidelijke libidineuze fase-ontwikkeling op gang kwam: 'wat zijn fase ontwikkeling betreft is (hij) inmiddels in de oedipale fase terechtgekomen, met duidelijk ondeugend, stoer en jongensachtig gedrag [...]. Nu zijn castratie-angsten en wensen besproken kunnen worden, gaat Richard knippen, tekenen en boetseren; wat hij voordien niet durfde en niet kon'.[32]

Ook in de MBD-casussen die andere kinderpsychiaters presenteerden, valt op hoezeer de psychoanalyse bepalend was voor denkwijze en taalgebruik. In zijn klinische les uit 1961 beschreef Hart de Ruyter bijvoorbeeld twee patiëntjes bij wie zijns inziens duidelijk sprake was van een lichte hersenbeschadiging, onder andere vanwege de aanwezigheid van kleine neurologische afwijkingen en een uit ziekenhuisrapportage bekend zuurstoftekort bij de geboorte.[33] De ene patiënt was uiteindelijk heel goed terechtgekomen, dankzij de 'intelligente moeder, die haar kind goed heeft waargenomen'.[34]

Van zenuwachtig tot hyperactief

Het tweede kind was er, als gevolg van een nare geschiedenis vol trauma's en affectieve verwaarlozing, ernstig aan toe. Ze was bijvoorbeeld 'op seksueel gebied een griezelig kind, is handtastelijk, tilt rokken op enz'.[35] Hart de Ruyter weet dit onder andere aan het feit dat zij als kleuter uitsluitend door vrouwen was opgevoed en 'dus geen normale oedipale situatie gekend heeft'.[36]

C. Rümke haalde een casus van een 'MBD-kind' aan, wiens 'passagair ontwikkelingsconflict' voortkwam uit de huwelijksproblematiek van de ouders. De vader sliep in een aparte kamer 'omdat hij zijn rust niet missen kon', terwijl het kind vanwege frequente angstdromen bij moeder in bed sliep. Daarbij vond in de ogen van Rümke een deel van de libidineuze wensen van de moeder ten opzichte van haar zoontje bevrediging, wat naast de verwijdering tussen de ouders een extra pathogene (ziekmakende) factor was bij de neurotische ontwikkeling van het kind.[37]

De twee culturen en 'parent blaming'

Het gebruik van het MBD-concept, dat een somatische pathologie impliceert, en de dominantie van de psychoanalyse in de kinderpsychiatrie, waren dus vanuit het toenmalige perspectief allerminst in tegenspraak met elkaar. De kinderpsychiaters die in de jaren zestig en zeventig schreven over de MBD-problematiek, waren er zelfs van overtuigd dat ze de oude tegenstellingen tussen de 'organicistische' en 'psychistische' kampen achter zich hadden gelaten. Hart de Ruyter betoogde in 1972: 'Er is een tijd geweest dat in de kinderpsychiatrie psychogene en organische stoornissen uitsluitend werden gezien als tegenstellingen [...]. Tegenwoordig weet men dat juist een beschadigd of instabiel cerebrum bijzonder kwetsbaar is en vatbaar voor exogene (w.o. psychogene en sociogene) noxen'.[38]

Het beeld van een kloof tussen een neurologische en een psychodynamische cultuur lijkt hier dus niet van toepassing. De reikwijdte van de psychoanalyse als interpretatiekader was dermate groot dat ook organiciteit daarin een plaats kon krijgen.[39] Bovendien moet niet vergeten worden dat (kinder-)psychiaters opgeleid en geregistreerd waren als *zenuwarts*. Tot 1972 was sprake van een gecombineerde opleiding psychiatrie en neurologie en tot 1974 waren beide disciplines ondergebracht in een gezamenlijke beroepsvereniging, de Nederlandse Vereniging voor Psychiatrie en Neurologie (NVPN). In de nieuwe, aparte opleiding psychiatrie (die in 1972 van start was gegaan) was nog altijd een verplicht jaar neurologie opgenomen. Dat werd in 1983 pas afgeschaft, niet om inhoudelijke redenen, maar vanwege een gebrek aan stageplaatsen. Kortom, in het 'MBD-tijdperk' hadden Nederlandse kinderpsychiaters aanzienlijke neurologische bagage. Zij konden daardoor goed overweg met het neurologische MBD-concept. Van Hart de Ruyter is bijvoorbeeld bekend dat hij veel waarde hechtte aan de eenheid van psychiatrie en neurologie. De scheiding tussen beide disciplines heeft hij ook altijd betreurd. Het is daarom niet verwonderlijk dat juist hij MBD in Nederland heeft geïntroduceerd. Hij deed dat als eerste en tot 1964 nog enige hoogleraar kinderpsychiatrie. Gezien deze vooraanstaande positie van Hart de Ruyter is het niet onaannemelijk dat zijn omarming van het MBD-concept navolging heeft gekregen van andere kinderpsychiaters.[40]

Aan de andere kant was de benadering van 'MBD-kinderen' psychodynamisch (=psychoanalytisch) gekleurd. De gerichtheid op de gezinsomgeving was dermate groot, dat de frequent geuite kritiek van eenzijdigheid en een beschuldigende houding jegens de ouders niet helemaal uit de lucht gegrepen is. Auteurs als Hart de Ruyter en Vedder benadrukten dat de narigheid begon bij de cerebrale beschadiging of dysfunctie bij het kind, zodat de problemen in de relatie tussen moeder en kind eerder het *gevolg* dan de *oorzaak* waren van de gedragsstoornis van het kind. Tevens had Hart de Ruyter, ten aanzien van een concrete casus, geen goed woord over voor de 'huisdokter' die dacht 'dat het wel de schuld van de moeder zou zijn' en evenmin voor de echtgenoot die haar afviel.[41] Tegelijkertijd bezigden deze kinderpsychiaters echter termen als 'opvoedingsfouten'[42] en stelden ze de prognose volledig afhankelijk van milieufactoren. Anders dan in de 'medico-pedagogische' literatuur over het ongedurige of nerveuze kind uit de periode 1930-1960, lag het accent daarbij sterk op psychoanalytische concepten als secundaire neurotisering, affectieve verwaarlozing, neurotiserende gezinsrelaties, een verstoorde Ik-ontwikkeling en onbewuste innerlijke conflicten.

Diversiteit

Onduidelijkheid

De voorlopige conclusie is dat van twee van elkaar gescheiden 'culturen' geen sprake was, maar dat tot op zekere hoogte 'parent blaming' en 'neurotisering' van de opvoeding wel aan de orde waren bij de MBD-problematiek. Enige voorzichtigheid is echter geboden. Het is namelijk moeilijk vast te stellen in hoeverre de hierboven besproken kinderpsychiatrische literatuur representatief is voor de wijze waarop in de jaren zestig en zeventig werd omgegaan met hyperactieve kinderen.

Uit bronnenmateriaal valt bijvoorbeeld op te maken dat de diagnose MBD vooral door neurologen en kinderartsen werd gesteld en minder door kinderpsychiaters. Mogelijk kwam dat doordat kinderpsychiaters een andere ziektedefinitie prefereerden. Er zijn aanwijzingen dat zij in plaats van MBD de term 'hyperkinetische stoornis' hanteerden.[43] Waarschijnlijk waren kinderpsychiaters ook minder betrokken bij de MBD-problematiek dan andere medisch specialisten, orthopedagogen en psychologen. In de twaalf leden tellende commissie die namens de Gezondheidsraad in 1985 een rapport over MBD schreef, had slechts één kinderpsychiater zitting, terwijl de psychologie, paediatrie (=kindergeneeskunde) en neurologie beter waren vertegenwoordigd.[44] Daarnaast schreef de emeritus hoogleraar orthopedagogiek W. Bladergroen, in een populariserend boekje over MBD uit 1981, dat het team van MBD-deskundigen bestond uit: 'psycholoog, arts (kinderarts, neuroloog, oorarts, oogarts) en pedagoog'.[45] De kinderpsychiater ontbreekt in deze opsomming.

Niet alleen is onduidelijk welke term door wie werd gebruikt, maar ook hoe vaak dat gebeurde. In de Verenigde Staten was MBD de meest gediagnosticeerde gedragsstoornis bij kinderen, maar in Europa golden zowel MBD als de hyperkinetische stoornis als zeldzaam. Deze ziekteconcepten konden daarom de oudere voorlopers van ADHD niet zonder meer vervangen. In de leerboeken van Vedder en van Kamp en Hart de Ruyter waren zowel MBD als nervositas als afzonderlijke stoornissen opgenomen. MBD was daarnaast een ernstiger stoornis dan de tegenwoordige ADHD. Zaken die nu als comorbide (bijkomende) verschijnselen bij ADHD worden beschouwd, zoals specifieke leerstoornissen, motorische problemen en sociaal-emotionele problemen, waren onderdeel van het MBD-concept. Het lijkt er daarom op dat MBD (evenals de hyperkinetische stoornis), in elk geval tot halverwege de jaren zeventig, alleen werd vastgesteld bij tamelijk zeldzame en ernstigere gedragsafwijkingen die gepaard gingen met duidelijke kenmerken van een cerebrale stoornis. Voor lichtere gevallen bleven oudere benamingen als 'nerveus' in gebruik. Wel raakte 'ongedurigheid' in onbruik.[46]

Dit is althans de opvatting van de meeste auteurs die geschreven hebben over de geschiedenis van MBD. In de Nederlandse kinderpsychiatrische literatuur uit de jaren zestig en zeventig wordt echter regelmatig gesteld dat MBD veel voorkwam.[47] Verder was waarschijnlijk sprake van een toename in de late jaren zeventig en de vroege jaren tachtig, hoewel betrouwbare cijfers ontbreken. In ieder geval stond MBD in die periode zeer in de belangstelling, bij hulpverleners, de overheid, scholen, ouders en de massamedia. In een serie van drie reportages uit 1981 van *Tros Aktua* over 'buitenbeentjes' werd gesteld dat bijna tien procent (!) van alle kinderen en twee tot drie kinderen in elke schoolklas 'deze minimale stoornis in de hersenen' had. De tragiek was volgens de presentatoren dat veel van deze kinderen slechts onbegrip ontmoetten bij leeftijdsgenoten en leerkrachten en in een isolement raakten, omdat de stoornis vaak niet werd herkend. Er werd een interview getoond met een 'MBD-kind' van een jaar of vijftien dat jarenlang volstrekt *miskend* werd en door veel volwassenen en andere kinderen uit zijn omgeving voor gek en zwakzinnig werd versleten. Hij was naar een speciale school gestuurd, zodat hij ondanks zijn bovengemiddelde intelligentie 'tussen de verstandelijk gehandicapten' was terechtgekomen. Dergelijke misstanden kwamen voor doordat artsen MBD niet kenden, ofwel als niet serieus te nemen 'prullenmanddiagnose' beschouwden, zo werd enigszins tegenstrijdig betoogd door de commentaarstem. In andere media-uitingen uit die tijd werd MBD ook wel een 'mode-diagnose' genoemd.[48]

Deze grote publieke aandacht was één van de aanleidingen voor het kritische rapport dat de Gezondheidsraad in 1985 over MBD publiceerde. De auteurs noemden het gebruik van deze term 'in klinische en wetenschappelijke zin inadequaat en onverantwoord' en 'misleidend'.[49] Ten onrechte zou de suggestie gewekt worden dat sprake was van een herkenbaar ziektebeeld met een bekende etiologie (oorzaak), namelijk lichte vormen van hersenbeschadiging.[50] Onnodig zouden kinderen daardoor een stempel opgedrukt krijgen, wat een ongunstige invloed op hun toekomstige ontwikkeling zou kunnen hebben. Bovendien werkte dit stempel volgens het rapport 'ongefundeerde behandelingen in de hand, die bijwerkingen met zich brengen en niet zonder risico zijn'.[51] Als voorbeelden noemden de auteurs het op onvoldoende indicatie toepassen van geneesmiddelen en het voorschrijven van bewerkelijke diëten (op basis van de vermeende, maar onbewezen invloed van kleur- en smaakstoffen op het ontstaan van MBD).[52] Zij vonden eigenlijk dat het MBD-concept geschrapt zou moeten worden, maar zagen er geen heil in dat aan te bevelen, omdat de benaming daarvoor te wijdverspreid en ingeburgerd was geraakt in zowel de literatuur als het spraakgebruik. Dit doet op zijn minst vermoeden dat het MBD-concept vaak werd gebruikt, maar in hoeverre dat door kinder- en jeugdpsychiaters gebeurde blijft onduidelijk.[53]

Al met al doemt er een erg onoverzichtelijk beeld op. Vragen als hoe frequent, op welke wijze en door wie het MBD-concept werd gebruikt, kunnen op basis van het bronnenmateriaal nauwelijks worden beantwoord. Met de nodige slagen om de arm kan hieronder slechts een globale schets worden gegeven.

Vóór 1975: verschillende disciplines, verschillende benaderingen

Vóór 1975 lijkt MBD in Nederland, onder andere gezien de schaarse literatuur daarover, niet vaak te zijn gediagnosticeerd. In die periode ging het daarom waarschijnlijk om een tamelijk ernstige, zeldzame aandoening. De kinderen uit de in de vorige paragraaf besproken literatuur (gepubliceerd tussen 1961 en 1975) hadden duidelijke neurologische afwijkingen en in de meeste gevallen ook een enigszins achterblijvende verstandelijke ontwikkeling. Bovendien waren er sterke aanwijzingen voor hersenschade door bijvoorbeeld infectieziekte of problemen tijdens de geboorte.[54] Vermoedelijk kwamen dergelijke kinderen met evidente somatische afwijkingen vaker bij een kinderarts of neuroloog terecht dan bij een kinderpsychiater.

Kinderen met minder ernstige hyperactiviteit kregen vóór circa 1975 waarschijnlijk nog niet de diagnose MBD. In plaats daarvan bleef onder andere de benaming *nervositas* van toepassing. Ook is het mogelijk, gezien de grote invloed van de psychoanalyse in deze periode, dat de term *neurose* werd gebruikt. Het bronnenmateriaal geeft hier geen uitsluitsel over, mede vanwege de eerdergenoemde 'Babylonische spraakverwarring'. Bovendien werd in deze periode, dat wordt althans vaak gesteld, de 'diagnostiek verwaarloosd'. Zowel binnen als buiten de psychiatrie lag het 'medische model' onder vuur, onder ander van de zogenaamde antipsychiatrische beweging. In dit klimaat gold het stellen van een psychiatrische diagnose als stigmatiserend en als 'plakken van etiketten'. Tegelijkertijd was sprake van een groot therapeutisch optimisme en schoten er allerlei nieuwe behandelvormen als paddenstoelen uit de grond. In deze situatie legden veel behandelaars het accent veel sterker op de therapie dan op diagnostiek.[55]

Dit maakt het buitengewoon moeilijk om gefundeerde uitspraken te doen over de omgang met gedragsgestoorde kinderen in de jaren zestig en zeventig. Wel kunnen een tweetal opmerkingen worden gemaakt. In de eerste plaats valt op dat ADHD-achtig gedrag minder sterk dan voorheen in verband werd gebracht met criminaliteit of immoraliteit. Mogelijk had dat te maken met een geleidelijke verandering van de opvoedingsmoraal. Enigszins schematisch gesteld, stonden niet langer deugdzaamheid, zelfbeheersing en het zich houden aan externe gedragsnormen voorop, maar de persoonlijke, sociale en emotionele ontwikkeling van kinderen. Druk en impulsief gedrag werd daardoor vooral gezien als een bedreiging van een gezonde geestelijke ontwikkeling en niet als een moreel probleem. Ook de veranderde seksuele moraal had zijn invloed. De bezorgdheid over onanie, waar bijvoorbeeld sprake van was in publicaties over ongedurige en nerveuze kinderen, verdween uit de vakliteratuur.[56]

In de tweede plaats kregen kinderpsychiaters, zoals in de inleiding van dit hoofdstuk is geschetst, te maken met de toenemende concurrentie van onder andere kinderpsychotherapeuten en psychologen. Die introduceerden vanaf de tweede helft van de jaren zestig bovendien nieuwe therapievormen, die zij nadrukkelijk presenteerden als korterdurend, laagdrempeliger, minder elitair, effectiever en wetenschappelijker dan de psychoanalyse. De eerste tegenstrevers van de psychoanalyse waren de non-directieve therapie van Carl Rogers en de gedragstherapieën die door Joseph Wolfe en B.F. Skinner werden ontwikkeld. Vooral in de jaren zeventig kwamen daar allerlei therapeutische stromingen en benaderingen bij. In de kinderpsychiatrie groeiden vooral de systeembenadering en de gezinstherapie uit tot een ware rage. Daarbij lag, anders dan in de psychoanalyse, de nadruk op het hier en nu. Bovendien wilden de vernieuwers afrekenen met het ideaal van het 'burgerlijke' kerngezin als hoeksteen in de samenleving. Zij stelden daar de ziekmakende invloed van dominante (huis)moeders en afwezige vaders tegenover.[57]

Rond 1970 was daarnaast veel aandacht voor maatschappelijke factoren. Sociale wetenschappers en exponenten van de antipsychiatrische beweging betoogden, dat niet psychiatrische patiënten maar de *maatschappij* ziek was. Ook bij 'drukke kinderen' werd gedacht aan de schadelijke invloeden vanuit de samenleving. De televisie, de 'commercialisering', de drukte van de moderne stad, de achterstandspositie van de lagere sociaal-economische klassen en het leefklimaat in gezinnen en op scholen werden genoemd als oorzaken van moeilijk en lastig gedrag van kinderen. Bovendien gaf het gegeven dat een onevenredig aantal 'MBD-kinderen' tot de lagere sociaal-economische klassen behoorde, aanleiding tot veel kritiek op de maatschappelijke ongelijkheid. Daarnaast werd gewezen op de 'ongezonde' voeding die veel kinderen kregen voorgeschoteld. Vooral kleurstoffen zouden bijdragen aan het ontstaan van MBD. Gedurende enige tijd was het zogenaamde Feingold-dieet erg populair bij hyperactieve kinderen.[58]

Dit hele palet aan 'psychosociale' benaderingen wijst op een nieuwe tekortkoming van de metafoor van de twee culturen. In de vorige paragraaf is betoogd dat biologische en psychodynamische opvattingen elkaar niet per definitie uitsloten. In deze paragraaf is duidelijk geworden dat het beeld van twee duidelijk af te bakenen richtingen geen recht doet aan de *diversiteit* die er was aan opvattingen, behandelmethoden en betrokken disciplines.

Een (kleine) MBD-'epidemie'

De opmars van MBD na 1975
In de tweede helft van de jaren zeventig leek, zoals reeds is betoogd, het aantal kinderen met MBD snel toe te nemen. Dat kan onder andere afgeleid worden uit de grote maatschappelijke aandacht die rond 1980 ontstond voor het ziektebeeld en de toename van publicaties daarover. Dit betekent waarschijnlijk dat MBD een ruimere betekenis kreeg, waardoor ook kinderen met minder ernstige gedragsproblemen voor deze diagnose in aanmerking kwamen. In de literatuur wordt een aantal verklaringen gegeven voor deze 'opmars' van MBD.[59]

Door de naoorlogse economische groei en uitbouw van de verzorgingsstaat zou er bijvoorbeeld een 'welzijnsideologie' zijn ontstaan. Voor het eerst in de geschiedenis was niet schaarste, maar overvloed gemeengoed geworden. Daardoor verdween langzamerhand de overtuiging dat gebreken of tekortkomingen 'gewoon' bij het leven hoorden. Mensen gingen daardoor hogere eisen stellen aan het leven, waardoor steeds meer 'levensmoeilijkheden', zoals druk en lastig gedrag van kinderen, transformeerden tot problemen waar iets aan moest worden gedaan. De welvaartsgroei en het succes van de verzorgingsstaat leidden daarbij tot een groot optimisme, dat het ook mogelijk was die problemen op te lossen (met behulp van een professionele deskundige). Daarnaast nam – met het seculariseringsproces, de razendsnelle technologische ontwikkelingen, de toenemende specialisering en professionalisering – de geneigdheid toe in de samenleving om de zienswijzen van wetenschappers te aanvaarden en (in vereenvoudigde vorm) over te nemen. De meer kritische sociologen wijzen, tot slot, op de belangen van overheden, artsen, hulpverleners en onderwijzers om sociale controle uit te oefenen en de maatschappelijke 'status quo' te handhaven.[60]

Specifiek ten aanzien van de problematiek van hyperactieve kinderen gaat de meeste aandacht uit naar de rol van onderwijzers. Verschillende sociologen zien het gebruik van Ritalin® als een manier om de 'management-problemen' van onderwijzers op te lossen.[61] Onderwijzers zouden in toenemende mate met die management-problemen te kampen hebben gekregen door de democratisering en schaalvergroting die tijdens de jaren zestig en zeventig in het onderwijs werden doorgevoerd.[62] Tevens zouden ze de gevolgen ondervonden hebben van de veranderende opvattingen over de taak van leerkrachten. Onderwijzers moesten kinderen niet meer alleen vakonderricht geven, maar hun persoonlijke ontwikkeling in alle opzichten stimuleren. Progressieve opvoedingsmethoden schreven voor dat leerkrachten geen afstandelijke autoriteit meer mochten uitstralen, maar een meer informele, warme en persoonlijke relatie met hun leerlingen aan dienden te gaan. In de praktijk was een dergelijke geïdealiseerde verhouding tussen onderwijzer en leerling vaak niet haalbaar. Bovendien ontbrak het leerkrachten aan middelen om zich misdragende kinderen aan te pakken. De toepassing van lijfstraffen, maar ook van strenge tucht, was namelijk uit den boze. Zo groeide het aantal kinderen dat problemen gaf (ofwel: niet voldeed aan de hooggestemde idealen), terwijl het onderwijzers tegelijkertijd aan middelen ontbrak om deze leerlingen weer op het juiste pad te krijgen.[63]

Dit soort verklaringen hebben een wel erg generaliserend karakter en een wankele empirische basis. Er is bovendien wel wat tegenin te brengen. Zo werd in de oudere literatuur over moreel-ethisch defecte, nerveuze en ongedurige kinderen keer op keer benadrukt dat (strenge) straffen geen of nauwelijks effect hadden (zie hoofdstuk 2 en 3). Waarschijnlijk was dat niet anders bij de vergelijkbare kinderen met MBD of hyperactiviteit. Hieruit volgt dat het taboe op lijfstraffen en andere tuchtmaatregelen onderwijzers geen *effectieve* middelen ontnam waarmee ze hun problemen met deze kinderen hadden kunnen oplossen. Daarnaast was MBD niet de eerste gedragsstoornis die als veelvoorkomend bij kinderen werd beschouwd. Dat gold in eerdere tijden, toen het onderwijs nog 'ouderwets autoritair' was, ook voor nervositas, zenuwachtigheid en het moreel-ethische defect.

Pendelbeweging

De toename van het aantal MBD-diagnoses vanaf de tweede helft van de jaren zeventig was waarschijnlijk vooral een kwestie van een verandering in terminologie, zienswijze en behandelingsvoorkeur. Kinderen die vóór het midden van de jaren zeventig nog een ander stempel zouden hebben gekregen (bijv. nervositas, neurose of hyperkinetische stoornis), kregen nu vaker de diagnose MBD. Dit wijst erop dat de gedragsproblemen van deze kinderen vaker dan voorheen werden gekoppeld aan een organische oorzaak of 'ziekte'. Dat duidt op een kentering naar een meer biologische oriëntatie.

Deze kentering, of 'pendelbeweging', vond onder andere plaats tegen de achtergrond van een belangrijke verandering in het maatschappelijke klimaat. Vanaf de tweede helft van de jaren zestig ging de kritiek op het medische model gepaard met een explosie van verschillende soorten psychotherapieën, alternatieve trainingen en encountergroepen. Rond 1980 kwam deze 'markt van welzijn en geluk' echter zélf ter discussie te staan. De psychosociale hulpverlening zou mensen bijvoorbeeld nodeloos in een ziekterol dwingen en afhankelijk maken. Ook in de hulpverleningswereld zelf nam de weerstand tegen de vernieuwingen van de jaren zeventig toe. Veel hooggespannen verwachtingen waren niet uitgekomen. Het radicalisme en soms ook de arrogantie, betweterij en sektarische opstelling van de vernieuwers stuitten steeds meer mensen tegen de borst en de veronachtzaming van de ernstige, organisch veroorzaakte psychische problematiek had in de ogen van velen geleid tot verloedering en verwaarlozing.[64]

Deze kritiek had indirect ook zijn weerslag op de geestelijke gezondheidszorg voor het kind. In de eerste plaats kreeg de psychosociale en psychotherapeutische oriëntatie in dit vakgebied voor het eerst de wind tegen. Zowel in de maatschappij als bij behandelaars brokkelde het geloof in de effectiviteit van psychotherapie af.[65] In de tweede plaats keerden ook ouders en familieleden van psychiatrische patiënten zich tegen het socio- en psychotherapeutisch idealisme van de jaren zeventig. Vanaf omstreeks 1980 begonnen ouders openlijk te protesteren tegen de behandelaars die hen de schuld gaven van de psychische problematiek van hun kinderen, geen enkel begrip of belangstelling toonden voor de ervaringen en het perspectief van de ouders, almaar bleven doorgaan met gesprekstherapieën die geen enkel positief resultaat opleverden en volhardden in de weigering medicijnen voor te schrijven die wél konden helpen. De toegenomen mondigheid van ouders kreeg ook gestalte in de oprichting van verenigingen van familieleden en ouders van psychiatrische patiënten, zoals de Nederlandse Vereniging voor Autisme (NVA) in 1978, Ypsilon in 1984 en Balans in 1987. Opvallend was dat vanaf begin jaren tachtig ouders en familieleden van cliënten van de geestelijke gezondheidszorg zich in veel groter getale organiseerden dan rond 1970, toen de psychiatrie in het brandpunt van de maatschappelijke belangstelling stond. Bovendien stelden zij zich, in tegenstelling tot een decennium eerder, geenszins afwijzend op ten opzichte van het 'medische model'.[66]

De grotere 'populariteit' van het MBD-concept rond 1980 paste binnen deze ontwikkeling. Volgens het eerder genoemde rapport van de Gezondheidsraad vervulde het etiket MBD vanwege de organische connotatie, voor veel ouders een positieve functie: 'Te vaak worden volgens de ouders en ouderverenigingen de problemen gezocht in gezinssituaties en huwelijksproblemen [...]. De specialist of hulpverlener die het woord [MBD] voor het eerst uitspreekt, wordt vaak als een verlosser door de ouders begroet [...]'.[67] De verwijzing naar bijvoorbeeld bij de geboorte opgelopen zuurstofgebrek betekende voor de ouders namelijk dat zij (en het kind) niet meer de schuld kregen van de gedragsproblematiek.[68]

Een goed voorbeeld hiervan is de eerder genoemde serie over 'buitenbeentjes' van het televisieprogramma *Tros Aktua* uit 1981. Na de uitzending van de eerste reportage kwamen er duizenden reacties van kijkers, die ook massaal schreven naar de ouderverenigingen die waren genoemd in het programma, de werkgroep MBD van de BOSK (Vereniging voor motorisch gehandicapten en hun ouders) en de Stichting Integratie Buitenbeentjes. Deze reacties waren, zo werd in de tweede aflevering uit de serie samengevat, tweeërlei. In de eerste plaats waren veel ouders 'opgelucht' doordat ze eindelijk herkenden wat er met hun kind aan de hand was. In de tweede plaats bevatten de meeste brieven een 'aanklacht tegen de medische stand'. Artsen, kinderpsychiaters, psychologen en maatschappelijk werkers waren er 'als de kippen bij' om de ouders de schuld te geven. In plaats van te onderkennen dat er iets mis was met het kind, meenden die 'dat het wel aan spanningen in het gezin of aan de slechte opvoeding zou liggen'. In het vervolg van de reportage werden twee ouders van MBD-kinderen geïnterviewd, die beschreven hoe ze een 'zware weg' hadden afgelegd, vol onbegrip van allerlei hulpverleners die 'al deden ze aandoenlijk hun best' ten onrechte de oorzaak bij de gezinsomstandigheden zochten, totdat uiteindelijk de bevrijdende diagnose MBD werd gesteld.[69]

Dit soort uitlatingen in de media[70] zegt niet alleen iets over de beschuldigende houding van artsen en hulpverleners tegenover ouders, maar ook over de toegenomen mondigheid van ouders en de emancipatie van kinderen met een 'afwijking'. Telkens was de boodschap dat deze kinderen – die 'buiten de maatschappij geplaatst' dreigden te worden – en hun ouders vooral begrip en wat begeleiding nodig hadden. Dan zouden MBD-kinderen prima kunnen functioneren, bij voorkeur op normale scholen, ze waren namelijk 'niet dom' en 'absoluut niet abnormaal', alleen een 'tikje anders'.[71]

Besluit

De term MBD verwees explicieter naar een organische oorzaak dan de ongedurigheid en nervositas uit het vorige hoofdstuk. Het was een neurologisch concept dat oorspronkelijk was bedoeld als alternatief voor de psychoanalytische benadering die dominant was in de kinderpsychiatrie. Het lijkt erop dat het MBD-begrip aanvankelijk in Nederland ook vooral door neurologen en kinderpsychiaters werd gehanteerd. Het ging daarbij om tamelijk ernstige en zeldzame gevallen, met duidelijke neurologische afwijkingen. Voor lichtere gevallen bleef de oudere diagnose nervositas in gebruik, psychoanalytisch ingestelde kinderpsychiaters, psychologen en psychotherapeuten spraken ook wel van 'neurose' of 'hyperkinetische stoornis'.

Er was echter geen sprake van een overzichtelijke strijd tussen twee culturen. Het MBD-concept was zeer omstreden en gold ook onder artsen met een puur organische oriëntatie als niet valide, slecht omschreven, overinclusief en slecht onderbouwd. Mede daardoor bleven vele alternatieve diagnoses in omloop. Daarbij is het niet duidelijk door wie, hoe vaak en op welke wijze MBD en deze alternatieven werden toegepast. Daarnaast werden de jaren zestig en zeventig gekenmerkt door de opkomst van allerlei socio- en psychotherapeutische stromingen, die nadrukkelijk werden gepresenteerd als alternatief voor de psychoanalyse. Psychologen, psychotherapeuten, orthopedagogen en maatschappelijk werkers wierpen zich daarbij op als behandelaars. In plaats van twee duidelijk te onderscheiden kampen, was er dus sprake van een grote variatie aan benaderingen, behandelmethoden en betrokken disciplines.

Het MBD-concept werd bovendien ook toegepast door kinderpsychiaters. Zonder problemen combineerden zij de notie van een organische beschadiging of stoornis in de hersenen met een psychoanalytische behandeling, gericht op de libidineuze faseontwikkeling van het kind, de oplossing van onbewuste innerlijke conflicten en een grote nadruk op het wegnemen van de neurotiserende elementen in de relatie van het kind met zijn ouders. Deze Freudiaanse concepten speelden een veel grotere rol dan in de voorgaande periode bij nervositas en ongedurigheid. De oorzaak van de gedragsproblemen werd niet primair bij de ouders gelegd, maar wel meende men dat de organische stoornis van het kind het moeilijk voor hen maakte adequaat met het kind om te gaan. Daardoor kon gemakkelijk, als *gevolg* van de stoornis, een 'neurotiserende' relatie tussen het kind en zijn ouders ontstaan. Tegen deze achtergrond besteedden kinderpsychiaters veel aandacht aan 'neurotiserende gezinsrelaties' en aan wat misging in de opvoeding. Het is daarom goed voorstelbaar dat sommige ouders toch het gevoel hadden dat zij de schuld kregen.

Het heeft er alle schijn van dat rond 1980 de meer mondige en beter georganiseerde ouders dit niet langer wilden accepteren. Zij verwelkomden de diagnose MBD, omdat daarmee duidelijk werd dat de oorzaak lag in de hersenen van het kind, zodat noch zij noch hun kinderen verantwoordelijk gehouden konden worden voor de ontstane problemen. Gesteund door de toegenomen media-aandacht streefden deze ouders naar erkenning van dit 'feit'. Ze hadden daarbij de 'tijdgeest' mee: binnen en buiten de geestelijke gezondheidszorg groeide de weerstand tegen de psycho- en sociotherapeutische benaderingen van de jaren zeventig. Tevens begon zich een kentering in de (kinder-)psychiatrie af te tekenen in de richting van een meer 'biologische' benadering. In deze context van een emancipatiebeweging van ouders die opkwamen voor hun 'buitenbeentjes', de groeiende media-aandacht voor dit soort 'human-interest' onderwerpen en een beginnende paradigmawisseling, ontstond er iets van een kleine *hype* rond MBD. Het was een voorbode van de nog veel spectaculairdere opmars van ADHD die in de volgende hoofdstukken aan de orde komt.

HOOFDSTUK 5: ADHD (CA. 1985-2010)[1]

Inleiding

In 2000 publiceerde de Gezondheidsraad een uitvoerig rapport over ADHD.[2] In de jaren daarvoor had een explosieve groei van het aantal patiënten met deze diagnose en van het gebruik van het geneesmiddel *methylfenidaat* (Ritalin®) geleid tot professionele disputen en kritische media-aandacht. Tegen deze achtergrond vroeg de toenmalige minister van Volksgezondheid in 1999 de raad om advies. Daardoor boog dit gezaghebbende orgaan zich voor de tweede maal in vijftien jaar over grotendeels dezelfde gedragsproblematiek – in 1985 was immers al uitvoerig over MBD gerapporteerd.

Dit opmerkelijke feit impliceert dat kinderen met ADHD-achtige gedragskenmerken gedurende langere tijd onderwerp waren van publieke aandacht en zorg. Daarnaast waren volgens de auteurs van het nieuwe rapport de opvattingen van 1985 verouderd geraakt. In de tussenliggende jaren hadden zich volgens hen een aantal nieuwe ontwikkelingen voorgedaan op het gebied van onderzoek, diagnostiek én behandeling. Eén ding bleef echter onveranderd: ADHD was, net als eerder MBD, omstreden. Dat verklaart wellicht nog het meest waarom de Gezondheidsraad in 1999 voor de tweede maal in stelling werd gebracht.[3]

Toch kon ook de Gezondheidsraad geen einde maken de discussies over ADHD, al was het rapport uit 2000 buitengewoon invloedrijk.[4] De auteurs noemden ADHD een zinvolle diagnostische categorie, waarvoor voldoende wetenschappelijke onderbouwing bestond. Buiten, maar ook binnen de wereld van de geneeskunde en (kinder)psychiatrie bestonden daar echter grote twijfels over en dat is tot op de dag van vandaag niet veranderd.[5] Recentelijk schreef Trudy Dehue bijvoorbeeld dat ADHD wel eens de spotlust opwekt.[6] Typerend was ook een uitspraak uit de ochtendjournaals op 19 mei 2008. Tijdens een item over de sterk gestegen instroom in de 'Wajong' (Wet arbeidsongeschiktheidsvoorziening jonggehandicapten), zei de nieuwslezer dat er ook steeds vaker jongeren in de Wajong terechtkwamen 'die geen echte ziekte of handicap, maar bijvoorbeeld ADHD hebben'.[7] ADHD werd, met andere woorden, niet altijd helemaal serieus genomen. Omdat deze stoornis bovendien epidemische vormen aannam en gepaard ging met grootschalig medicijngebruik, is het niet verwonderlijk dat ADHD omstreden was en bleef.

De controverses over ADHD gaan over twee hoofdzaken: in de eerste plaats de *inhoud* (etiologie, diagnose en behandeling), in de tweede plaats de *epidemie* (de explosieve groei van het aantal patiënten en van het geneesmiddelengebruik). De debatten over het tweede onderwerp komen in het volgende hoofdstuk uitvoerig aan de orde. Dan zullen de 4 M'en die aan het begin van dit boek zijn geïntroduceerd als veelvoorkomende verklaringen voor de ADHD-epidemie – *mode, moderne* tijd, *medische vooruitgang* en *medicalisering* – kritisch worden besproken aan de hand van kennis over de geschiedenis. In dit hoofdstuk 5 gaat het vooral over de *inhoud* van ADHD. Eerst volgt een feitelijke beschrijving van de ontwikkeling van het ADHD-concept sinds de jaren tachtig. Deze ontwikkeling wordt daarna in de context geplaatst van de zogenaamde *biological turn* in de kinderpsychiatrie. Deze term duidt erop dat, eveneens vanaf de jaren tachtig, de biologische benadering is gaan domineren in dit vakgebied. Dat is uiteraard ook van grote invloed geweest op de omgang met drukke kinderen. Veel kritiek op de gang van zaken rond ADHD is, zo zal worden betoogd, onderdeel van een meer algemene afwijzing van het biologische denken in de (kinder)psychiatrie. In het laatste deel van dit hoofdstuk wordt de dominantie van de *biological turn* echter gerelativeerd. Kinderpsychiaters en andere behandelaars blijken de psychosociale kant niet uit het oog te zijn verloren. Ook ouders en onderwijzers omarmen lang niet altijd de puur 'bio-medische' benadering; er zijn legio alternatieve manieren waarop tegen ADHD wordt aangekeken.

Van ADD tot ADHD-epidemie

DSM, ADD(H) en ADHD

In 1980 publiceerde de American Psychiatric Association de derde versie van de *Diagnostical and Statistical Manual of Mental Diseases* (DSM). De DSM, waarvan eerdere versies betrekkelijk weinig invloed hadden, groeide in de loop van de jaren tachtig en negentig uit tot dé internationale standaard voor de diagnostiek van psychische en gedragsstoornissen. Ook in de Nederland werd het gebruik van de DSM gemeengoed.[8] In 2003 gaf de Nijmeegse hoogleraar kinder- en jeugdpsychiatrie R.J. van der Gaag de volgende typering van de populariteit van de DSM: 'De classificaties in DSM worden gebruikt door studenten, arts-assistenten, collegae psychiaters, gedragswetenschappers, bij beleidsmakers en ziekteverzekeraars, zelfs in de volksmond'.[9]

De DSM-III verschilde van zijn voorgangers doordat een ziekte-indeling was gemaakt op grond van helder omschreven, waarneembare symptomen in plaats van op grond van theoretische vooronderstellingen over de oorzaken of aard van psychiatrische stoornissen. De bedoeling was dat iedere clinicus, ongeacht land van herkomst of theoretische 'school', iedere patiënt in dezelfde categorie onderbracht. Daarbij werd voldaan aan een behoefte aan diagnostische eenduidigheid en betrouwbaarheid die vooral onder wetenschappers bestond. Zij hadden namelijk ondervonden dat het ondoenlijk was om goed onderzoek te doen zolang er nog een Babylonische spraakverwarring heerste in de psychiatrie. Met de nieuwe DSM-III werd het bovendien gemakkelijker om gebruik te maken van onderzoek dat elders was verricht voor wetenschap en praktijk in eigen land.[10]

De opmars van de DSM droeg sterk bij aan die van het ADHD-begrip. De grootschalige toepassing van dit classificatiesysteem werkte namelijk de standaardisering en popularisering van diagnoses als ADHD, in de hand.[11] Deze ontwikkeling begon toen in de DSM-III het MBD-concept (deels) werd vervangen door ADD (Attention Deficit Disorder without Hyperactivity) en ADDH (Attention Deficit Disorder with Hyperactivity) – in het Nederlands: aandachtstekortstoornis zonder of met hyperactiviteit. Dat het MBD-concept werd geschrapt was geen verrassing, vanwege de zwaarwegende bezwaren die daar al lange tijd tegen bestonden. In de loop van de jaren zeventig groeide daarnaast, vooral in de Verenigde Staten, de overtuiging dat bij de MBD-problematiek primair sprake was van een aandachtsstoornis, wat ook tot uitdrukking kwam in het nieuwe ADD(H)-begrip. Dat was bovendien, passend bij de opzet van de DSM-III, een symptoombeschrijvende term, terwijl het MBD-begrip verwees naar een veronderstelde maar onbewezen oorzaak.[12]

In de herziene versie van de DSM-III uit 1987 maakte ADD(H) op zijn beurt plaats voor ADHD (Attention Deficit Hyperactivty Disorder – of in het Nederlands: aandachtstekort-hyperactiviteitstoornis), met als hoofdkenmerken hyperactiviteit, impulsiviteit en aandachtszwakte. In de DSM-IV uit 1994 werd ADHD gehandhaafd, maar wel verder gedifferentieerd in drie subtypes: hct hyperactief-impulsieve, het aandachtszwakke en het gecombineerde subtype (zie de bijlage met de DSM-criteria voor de diagnose ADHD). De overgang van ADD(H) naar ADHD behelsde meer dan een naamswijziging. Deskundigen vatten sinds het begin van de jaren negentig ADHD niet meer op als aandacht- en informatieverwerkingsstoornis, maar als stoornis in de gedragsinhibitie – de 'rem' op gedrag.[13]

De laatste jaren duikt de oude term 'ADD' echter weer vaker op. Dit begrip wordt dan vooral gebruikt voor kinderen die niet voldoen aan de criteria voor hyperactiviteit en impulsiviteit, maar wel voor die van aandachtszwakte. Officieel zouden deze kinderen de diagnose 'ADHD van het aandachtszwakke subtype' moeten krijgen, maar recentelijk spreken behandelaars liever van ADD. Waarschijnlijk vermoeden zij dat deze kinderen, die *niet* druk zijn, wezenlijk verschillen van 'echte' ADHD'ers en eerder een aandacht- en informatieverwerkingsstoornis hebben dan ccn gestoorde 'remfunctie'. Er lijkt echter ook iets anders een rol te spelen: de term ADD roept minder negatieve associaties op dan ADHD. Ouders en kinderen zelf zijn daarom opgelucht wanneer ADD en niet ADHD (al is het van het aandachtszwakke subtype) wordt vastgesteld.[14]

Overigens bleef in Nederland ook het MBD-begrip nog lang in gebruik. In het vorige hoofdstuk is al gemeld dat de Gezondheidsraad in 1985 de term MBD eigenlijk had willen afschaffen, maar dat ondoenlijk vond omdat het gebruik daarvan zo wijdverbreid was. Dit is opmerkelijk omdat er met de 'hyperkinetische stoornis' en ADD(H) goede alternatieven beschikbaar waren. Zelfs nadat in de DSM-III-R van 1987 de term ADHD was geïntroduceerd, bleef de benaming MBD opduiken in Nederland, bijvoorbeeld in 1999 (!) in de bekende televisieprogramma's *Netwerk* en *Het elfde uur*. Pas in de loop van de jaren negentig, vooral na de publicatie van de DSM-IV in 1994, raakte de term ADHD ingeburgerd. Dit zou erop kunnen wijzen dat de DSM niet direct na de publicatie van de derde versie in 1980, maar pas na enige tijd, vooral in de jaren negentig, de standaard werd in de Nederlandse (kinder)psychiatrie.[15]

Explosieve groei
Toen het ADHD-begrip in de jaren negentig eenmaal ingang kreeg in Nederland, ging het ook hard. Zowel het aantal kinderen dat deze diagnose

Van zenuwachtig tot hyperactief

kreeg als de bekendheid van het begrip nam sterk toe. Deze kinderen kregen bovendien steeds vaker methylfenidaat (Ritalin®) voorgeschreven, wat een breuk vormde met de terughoudende toepassing van psychofarmaca bij kinderen vóór 1990. Het gebruik van ADHD-geneesmiddelen groeide vanaf het begin van de jaren negentig spectaculair. Dit is een trend waarvan het einde nog altijd niet in zicht is.[16]

De cijfers spreken boekdelen over deze epidemische ontwikkeling van ADHD. Rond 2000 werd de prevalentie van ADHD geschat op 3-5% van de kinderen in de basisschoolleeftijd, in 30-60% van de gevallen zou de aandoening op volwassen leeftijd persisteren. In 2000 schreef de Gezondheidsraad dat het om ruim 40.000 kinderen ging, terwijl nog eens ruim tweemaal zoveel kinderen minder ernstige of minder belastende gedragsproblemen hadden, die toch aanleiding gaven tot last en belemmeringen waarvoor behandeling geïndiceerd was. In de jaren daarna werden de schattingen van het aantal kinderen in deze leeftijdsgroep omhoog bijgesteld tot ca. 5-10% – reden voor *NRC Handelsblad* om (in 2008) ADHD een 'volksziekte' te noemen. Daarmee was niets te veel gezegd: Nederland telde volgens deskundigen aan het eind van 2008 in totaal rond de 550.000 ADHD-patiënten – kinderen, adolescenten én volwassenen.[17]

Deze schattingen gaan over de *epidemiologische prevalentie* – over hoeveel mensen er in Nederland ADHD hebben, ongeacht de vraag of dat ook bij ze is vastgesteld. Het aantal mensen dat ook daadwerkelijk de diagnose ADHD heeft gekregen ligt veel lager. Van deze *administratieve prevalentie* zijn geen cijfers bekend. Wel is de algemene overtuiging dat die sinds de jaren negentig enorm is gestegen. De sterke groei van het aantal voorgeschreven ADHD-medicijnen dient meestal als indicatie daarvoor, al komt die deels voort uit een toenemend gemiddeld medicijnengebruik per persoon en niet alleen uit een stijging van het totale aantal ADHD-diagnoses. Zoals al in hoofdstuk 1 is vermeld, slikten in 1992 naar schatting slechts 1275 patiënten geneesmiddelen tegen ADHD, in 1999 waren dat er al 31.000, ongeveer 25 keer zoveel! Sinds 1999 is dit aantal verdrievoudigd tot 94.000 in 2008. In 2009 is dit getal naar verwachting boven de 100.000 gekomen. Daar moeten dan nog de kinderen en volwassen met de diagnose ADHD bij worden opgeteld die daar geen medicijnen (meer) voor krijgen.

Overigens komt de groei in het gebruik van ADHD-geneesmiddelen in de laatste jaren mede doordat er alternatieven voor Ritalin® op de markt zijn gekomen. Zo is methylfenidaat ook beschikbaar in een tabletvorm met gereguleerde afgifte en is in 2005 een geneesmiddel geïntroduceerd met een andere werkzame stof, atomoxetine (Strattera®).[18]

ADHD en de *biological turn* in de kinderpsychiatrie

De 'paradigmawisseling' vanaf ca. 1980

De ontwikkeling van ADD tot ADHD-epidemie vond plaats tegen de achtergrond van een 'pendelbeweging' in de kinderpsychiatrie. Vanaf de jaren tachtig kreeg geleidelijk een transitie van een psychoanalytische naar een medisch-biologische gerichtheid gestalte in het vakgebied. Deze overgang werd deels van binnenuit bewerkstelligd door een nieuwe generatie kinderpsychiaters, die zich afzetten tegen de tekortkomingen en wat zij zagen als de dictatuur van de psychoanalyse. Daarnaast speelden veranderende omstandigheden een belangrijke rol. Zoals in het vorige hoofdstuk aan de orde is gekomen, groeide tegen het einde van de jaren zeventig zowel in de maatschappij als binnen de geestelijke gezondheidszorg de kritiek op de psycho- en sociotherapieën die eerder in dat decennium een hoge vlucht hadden genomen. Ook is reeds aangehaald dat de kinderpsychiatrie te maken kreeg met een toenemende concurrentie van de orthopedagogiek, de kinderpsychotherapie en de ontwikkelingspsychologie. Het lag het voor de hand dat kinderpsychiaters hun medische identiteit sterker gingen benadrukken, om zich duidelijker te kunnen onderscheiden van deze disciplines. Daarnaast waren er nog twee andere externe factoren die bijdroegen aan een 'paradigmawisseling' in de kinderpsychiatrie: een actiever overheidsbeleid en veranderingen in de universitaire wereld.[19]

Vanaf de tweede helft van de jaren zeventig begon de overheid zich intensief te bemoeien met de geestelijke gezondheidszorg en de welzijnssector. Dat had voor een belangrijk deel te maken met de economische stagnatie van die jaren. Die maakte het moeilijker om de almaar uitdijende verzorgingsstaat te financieren. Met het oog op kostenbeheersing, maar (enigszins paradoxaal) ook om de geestelijke gezondheidszorg beter en voor iedereen gelijk toegankelijk te maken, besloot de regering in de vroege jaren tachtig onder andere tot de vorming van de Riaggs, de Regionale Instellingen voor Ambulante Geestelijke Gezondheidszorg, waar de MOB's en andere ambulante instellingen in opgingen. In de grootschalige nieuwe instituten ging het sterk psychoanalytisch gekleurde profiel van de veel kleinere MOB's enigszins verloren. De langdurige, intensieve analytische behandeling van kinderen die in de jaren zestig en zeventig soms werd toegepast, was in de nieuwe tijd van kostenbeheersing ook steeds minder denkbaar. Daarnaast moest de werkzaamheid van de behandeling aangetoond worden. Juist van de psychoanalyse was de therapeutische effectiviteit veel moeilijker te bewijzen dan bijvoorbeeld de gedragstherapie en medicamenteuze therapie, die dan ook vanaf de jaren tachtig de wind in de zeilen kregen.[20]

Niet alleen vanuit de overheid, maar ook in wetenschappelijke kringen werden in deze periode hogere (of beter: *andere*) eisen gesteld aan de toetsing van de werkzaamheid van behandelvormen. In de loop van de jaren zestig en vooral zeventig was binnen de universitaire wereld het aanzien van hermeneutische (= 'invoelende'), geesteswetenschappelijke benaderingen geleidelijk afgenomen en het accent sterker komen te liggen op empirische, 'harde' wetenschap. Deze trend deed zich ook voor binnen de academische (kinder)psychiatrie – vooral dankzij invloeden vanuit het buitenland, waar bijvoorbeeld de biologische psychiatrie en de epidemiologie sterk tot ontwikkeling waren gekomen. Deze zogenaamde *omslag naar de empirie* was een grote verandering in de universitaire psychiatrie, die altijd veel sterker gericht was geweest op de hulpverleningspraktijk dan op wetenschappelijk onderzoek. Vooral voor de hermeneutisch en therapeutisch ingestelde psychoanalytici bleek deze draai moeilijk te maken.[21]

In deze omstandigheden was het voor kinderpsychiaters aantrekkelijk om zich meer als 'klassieke medici' op te stellen. Zo kwam het tot een herbevestiging van de medische identiteit van het vakgebied, nadat die in de jaren zeventig juist was gerelativeerd als aanpassing aan de toen heersende tijdsgeest. Hierdoor kwam volgens hedendaagse kinderpsychiaters een proces van verwetenschappelijking en professionalisering op gang. Bovendien zou de positionering van de kinder- en jeugdpsychiatrie als onderdeel van de gezondheidszorg geholpen hebben om de overheidsbezuinigingen, die vooral de welzijnssector troffen, relatief ongeschonden te doorstaan.[22]

Het is echter niet eenvoudig om te identificeren wat die hernieuwde medische identiteit precies inhield. Per slot van rekening waren kinderpsychiaters altijd al artsen. Bovendien hebben kinderpsychiaters altijd sterk verschillende opvattingen gehad over de betekenis van de medische status van hun vak. De paradigmawisseling die rond 1980 werd ingezet, betekende ook niet dat de psychosociale kant van de kinderpsychiatrie uit het oog werd verloren. Toch heeft zich duidelijk een kentering in biologische richting voorgedaan, met als blikvangers het wetenschappelijke hersenonderzoek, het gebruik van het DSM-classificatiesysteem en de toepassing van psychofarmaca.[23]

Aan de hand van deze drie facetten zal in het vervolg van deze paragraaf worden ingegaan op de biologische benadering van ADHD en de kritiek daarop.

Wetenschappelijk onderzoek naar ADHD

Tijdens de hoogtijdagen van de psychoanalyse was er in de kinder- en jeugdpsychiatrie nog geen sprake van een onderzoekstraditie. Na 1985 kreeg *research* echter een prominente plaats in het vakgebied. Buiten de epidemiologische studies, was het meeste onderzoek dat sindsdien werd verricht biologisch en etiologisch getint. Vooral in de jaren negentig, die het 'decennium van het brein' werden gedoopt, nam het hersenonderzoek een hoge vlucht. Dit was niet alleen te danken aan een meer biologisch en *research*gericht klimaat in de (kinder)psychiatrie, maar ook aan nieuwe, vooral beeldvormende, technologieën, zoals scanapparaten. Die maakten het mogelijk gedegen hersenanatomische studies te verrichten bij *levende* proefpersonen. Tevens konden de fysiologische processen, zoals de activiteit van (delen van) hersenen, beter gemeten en zichtbaar gemaakt worden. Ook het neurochemisch onderzoek, dat zich richtte op de afwijkingen in de stofwisseling van neurotransmitters (stoffen in de hersenen die een rol spelen in de prikkeloverdracht tussen zenuwcellen), kon onder deze omstandigheden van de grond komen. Tevens kreeg het genetische onderzoek gestalte, mede dankzij de toepassing van moleculaire biologische technieken.[24]

Binnen de kinder- en jeugdpsychiatrie is naar geen enkele stoornis zoveel wetenschappelijk onderzoek gedaan als naar ADHD. Dit heeft volgens veel kinderpsychiaters het ADHD-concept een stevig fundament gegeven. Bij ADHD-patiëntenpopulaties zijn namelijk afwijkingen aangetoond in de bouw van de hersenen. Zo zijn delen van de frontaalkwab ongeveer 5% kleiner dan normaal gebleken en ook in zijn totaliteit blijft het hersenvolume van kinderen met ADHD wat achter ten opzichte van dat van gezonde kinderen. In recentere publicaties wordt ook veel waarde gehecht aan afwijkingen in de kleine hersenen. Bij functioneel hersenonderzoek is bij kinderen met ADHD bovendien een minder goede impulscontrole aangetoond, wat op basis van neurochemisch onderzoek in verband wordt gebracht met een stoornis in de neurotransmissie van dopamine of noradrenaline. Tweelingonderzoek, ten slotte, zou uitgewezen hebben dat de erfelijkheid van ADHD geschat moet worden op 70 tot 80%.[25]

De overgrote meerderheid van de kinder- en jeugdpsychiaters twijfelt op grond van dit alles niet aan het bestaan van ADHD. In 2007 verwoordden M. Vegt en anderen dit meerderheidsstandpunt als volgt: 'De aandachtstekortstoornis met hyperactiviteit (ADHD) is een grotendeels erfelijk bepaalde neuropsychiatrische stoornis'.[26] Evenals hun vakgenoten, moesten zij hieraan echter toevoegen: 'waarvan het neurobiologische substraat vooralsnog onopgehelderd is'.[27]

Dit laatste gegeven is munitie voor tegenstanders van de biologische (kinder)psychiatrie. Volgens critici die menen dat geen sprake is van medische vooruitgang, maar van *medicalisering*, wordt het drukke gedrag van kinderen met de diagnose ADHD zonder voldoende onderbouwing als ziekte bestempeld. De kleinere omvang van (delen van) het brein bij ADHD en andere bevindingen uit hersenonderzoek zeggen volgens hen niets. Het gaat namelijk om kleine, gemiddelde afwijkingen die pas zijn gevonden na vergelijking van grote groepen patiënten en gezonde proefpersonen. Dat betekent dat veel individuen met de diagnose ADHD deze afwijkingen *niet* vertonen, terwijl die *wel* zijn aangetroffen bij een aanzienlijk aantal 'normale' mensen.[28]

De wetenschapsfilosofe Trudy Dehue wees onlangs ook op de suggestieve werking van beeldvormende technieken. Zij gaf als voorbeeld de paarsgewijze afbeeldingen van hersenen met en zonder ADHD in veel kranten, tijdschriften en op websites. Wie 'ADHD' *googlet* vindt daar met groot gemak voorbeelden van (zie figuur 1, ook gevonden via *google*). Dergelijke illustraties wekken volgens Dehue de indruk dat precies duidelijk is wat er in de hersenen mis is bij ADHD-patiënten. Daardoor lijkt het of individuen slechts in een scanapparaat geschoven hoeven te worden om te achterhalen of en in welke opzichten ze afwijkend zijn. In werkelijkheid zijn die afbeeldingen echter 'weergaven van berekeningen die het resultaat zijn van complexe experimenten vol vooronderstellingen, overwegingen en besluiten'.[29]

Dit voorbehoud, dat wetenschappers zelf over het algemeen wel maken, verdwijnt volgens Dehue bij de publicatie in de pers of op websites. Terwijl onderzoekers zich realiseren dat er grote onzekerheden bestaan ten aanzien van de biologische oorzaken van ADHD, suggereren de in de massamedia afgebeelde hersenscans dat de 'ziekte' op de foto kan worden gezet. Dehue toont in haar boek *De depressie-epidemie* aan dat veel farmaceutische bedrijven bijdragen aan deze misleidende beeldvorming door in reclamecampagnes en op websites animaties te tonen van zogenaamde neurotransmissies in de hersenen, om zo de werking van de door hen verkochte medicijnen te illustreren. Weliswaar mogen deze bedrijven geen reclame maken, maar in de praktijk ontlopen ze dit verbod door 'voorlichting' te geven, vooral op 'objectief' aandoende website op het internet. Het biologische imago van ADHD (en andere psychische stoornissen) wordt volgens Dehue echter niet altijd op een dergelijke moedwillige wijze gepromoot. Het is eerder een gegeven dat meer nuanceringen en slagen om de arm uit de informatievoorziening worden gefilterd, naarmate de wetenschappelijke kennis zich verder buiten het laboratorium beweegt. Dehue laat bijvoorbeeld zien dat overheidsinstanties en ouderverenigingen in hun publieksvoorlichting vaak ieder voorbehoud weglaten en ADHD onomwonden als 'hersenziekte' omschrijven, mede om hun boodschap zo duidelijk mogelijk over te kunnen brengen. Daarnaast willen journalisten nog al eens zoektochten en vermoedens van onderzoekers in het nieuws brengen als waren het grote doorbraken en absolute feiten.[30]

Figuur 1: Paarsgewijze afbeeldingen van hersenen met en zonder ADHD, zoals die op het internet veelvuldig te vinden zijn.

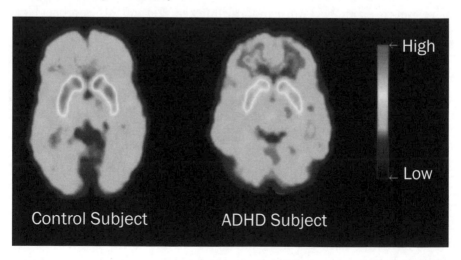

Diagnostiek: ADHD als DSM-categorie

Los van de mogelijke 'ziekte' in de hersenen, is ADHD ook een 'diagnose', of in officiële termen een 'nosologische categorie': het ADHD begrip vat het complex van symptomen van een 'patiënt' samen en geeft het ook een naam. Volgens de meeste kinder- en jeugdpsychiaters is het ADHD-concept in deze betekenis valide. Dat is volgens de hoogleraar kinder- en jeugdpsychiatrie J.K. Buitelaar, een autoriteit in het ADHD-onderzoek, bovendien wetenschappelijk onderbouwd met behulp van zogenaamde 'factoranalyses'. Ook de Gezondheidsraad noemde in het rapport uit 2000 het ADHD-begrip een zinvolle diagnostische categorie.[31]

De raad moest echter ook constateren dat het ADHD-concept enigszins problematisch is, vooral met betrekking tot de afgrenzingen naar andere ziektebeelden. Comorbiditeit – het vóórkomen van meerdere stoornissen tegelijk bij één en dezelfde patiënt – is eerder regel dan uitzondering. Naar schatting een derde tot de helft van alle kinderen met ADHD heeft ook andere gedragsstoornissen. Bij jongere kinderen gaat het daarbij vooral om de oppositionele gedragsstoornis *(oppositional defiant disorder* of ODD), gekenmerkt door een consistent patroon van ongewoon negativistisch, afwijzend, ongehoorzaam en vijandig gedrag; en op (iets) latere leeftijd om de antisociale gedragsstoornis *(conduct disorder* of CD), gekenmerkt door gedrag waardoor schade wordt toegebracht aan de persoon, eigendom of rechten van anderen in de vorm van agressie, diefstal of anderszins. Tevens komen bijvoorbeeld dyslexie, depressie en angststoornissen veel voor bij ADHD-patiënten. Ook lopen zij op latere leeftijd een verhoogd risico op verslavingsziekten. Daarnaast heeft de sterke overlap tussen ADHD en PDD (Pervasive Development Disorder, een lichte vorm van autisme) recentelijk twijfels opgeroepen of wel van twee afzonderlijke stoornissen gesproken kan worden.[32]

Niet alleen ten opzichte van andere stoornissen, maar ook ten opzichte van het domein van het normale gedrag staan de grenzen van het ADHD-concept ter discussie. Zo zijn er kinderen die voldoen aan de classificatie-criteria van ADHD, maar dermate weinig last van hun symptomen ondervinden dat een klinische diagnose niet op zijn plaats zou zijn. Aan de andere kant bestaat ook de zogenaamde *sub-threshold* problematiek: kinderen die net niet aan de classificatiecriteria voldoen, maar dermate hinder hebben van de gevolgen van hun symptomen dat behandeling gewenst is.

Dat gegeven is bij de klinische diagnostiek van groot belang. Niet alleen de symptomen zelf, maar ook de gevolgen daarvan, in de vorm van last en belemmering voor het kind zelf én zijn omgeving, bepalen of een beeld als stoornis benoemd wordt of niet. De *impairment*, zoals de Gezondheidsraad het noemt, dient daarbij als 'indicatie voor de ernst van de symptomen in relatie tot de sociale situatie van het kind en voor de behandelnoodzaak'. Er is echter geen rechtstreeks verband tussen enerzijds het aantal en de ernst van de symptomen en anderzijds de ondervonden belemmeringen. Mede daardoor is niet altijd duidelijk wat de doorslag geeft bij de diagnose: de symptomen of de ondervonden last.[33]

Bovendien wordt over het algemeen verondersteld dat de bij ADHD behorende gedragskenmerken zich voordoen in een continuüm. Alle kinderen zijn immers wel eens onrustig, impulsief of ongeconcentreerd. Wanneer precies dergelijk gedrag het domein van het normale overschrijdt en als afwijkend bestempeld moet worden, is volgens onder andere de Gezondheidsraad tot op zekere hoogte arbitrair. Daar staat overigens tegenover dat de grens tussen normaal en afwijkend bij bijvoorbeeld overgewicht of een te hoge bloeddruk niet minder arbitrair is. Tevens ontbreekt het zowel voor het vaststellen van de symptomen als van de gevolgen daarvan aan objectief meetbare criteria. De diagnose ADHD komt in plaats daarvan tot stand op basis van de subjectieve informatie van de kinderen zelf en vooral van ouders en leerkrachten. Daarbij bekijkt de arts in hoeverre het gedrag van het kind afwijkt van 'normaal' of 'standaard', maar die norm of standaard wordt mede bepaald door de historische, sociale en culturele context. De beoordeling van het gedrag van het kind is volgens de Gezondheidsraad om deze redenen situatiegebonden en afhankelijk van de vigerende maatschappelijke normen.[34]

Zo lijkt een deel van de controverses over ADHD te verklaren op grond van de hoge comorbiditeit, de onduidelijkheid over de grenzen van het concept, het subjectieve karakter van de diagnose en het gebrek aan zekerheid over de precieze oorzaak. Critici betogen op basis daarvan bijvoorbeeld dat het ADHD-concept betrekking heeft op een onduidelijke afgebakende groep kinderen, die op grond van arbitraire maatschappelijke normen en subjectieve meningen van leraren en ouders het stigma krijgen van een hersenziekte, waarvan het bestaan niet eens overtuigend is bewezen.[35] Het verschijnsel van hoge comorbiditeit doet zich echter bij vele DSM-categorieën voor. Tevens geldt voor alle psychische stoornissen dat de pathofysiologie

Van zenuwachtig tot hyperactief

(wat er precies misgaat in de hersenen) nog deels onopgehelderd is en dat er bovendien geen biologische en psychologische tests zijn waarmee ze op objectieve wijze vastgesteld kunnen worden.[36]

Bovengenoemde bezwaren tegen ADHD als diagnostische categorie zijn dan ook onderdeel van een meer algemeen debat over de psychiatrische diagnostiek als geheel en in het bijzonder over de DSM. Weliswaar beklemtonen veel (kinder)psychiaters dat 'DSM-rubricering' niet verward moet worden met 'echte diagnostiek' bij een individuele patiënt, maar onmiskenbaar is de DSM zeer bepalend geworden. Sinds het einde van de jaren negentig wordt die standaard toegepast in vrijwel alle instellingen in de geestelijke gezondheidszorg.[37]

Het succes van DSM heeft vanaf het begin veel weerstand opgeroepen, ook onder kinderpsychiaters zelf. Vaak wordt bijvoorbeeld gewezen op de 'inflatie' die zich in de diagnostiek heeft voorgedaan: niet alleen kwamen er in achtereenvolgende versies van de DSM steeds meer ziektecategorieën bij, ook de reikwijdte van de 'diagnoses' nam toe, zodat bijvoorbeeld kinderen met steeds geringere afwijkingen onder een DSM-categorie vielen. Sommige kinder- en jeugdpsychiaters interpreteren dit als teken van verdere verfijning in de diagnostiek, waardoor ook 'gevallen' hulp krijgen die vroeger over het hoofd werden gezien. Dat zou bijvoorbeeld gelden voor kinderen met lichte varianten van autisme. Toch geven de hoge prevalentiecijfers[38] van (kinder)psychiatrische stoornissen volgens andere (kinder)psychiaters wel degelijk te denken. Zij maken zich zorgen over de lage drempels en onduidelijke grenzen van de omschreven stoornissen. Het systeem mist daardoor de precisie die eigenlijk nodig is voor onderzoek en voor het gericht indiceren van behandelingen. Anderen vinden de validiteit van de omschrijvingen en criteria van de DSM twijfelachtig, omdat die niet gebaseerd zijn op onderzoek, maar op consensus, namelijk op de gedeelde mening van een select gezelschap Amerikaanse psychiaters. Het is daarom ook niet lastig om aan te tonen dat de DSM in veel opzichten sterk cultureel en historisch gekleurd is.[39]

Op een meer fundamenteel niveau, wordt frequent betoogd dat het gebruik van de DSM op dubieuze wijze het biologische denken in de (kinder) psychiatrie versterkt. Wanneer een patiënt op basis van gedragskenmerken voldoet aan voldoende criteria, komt er een diagnose uit de bus, die volgens critici al gauw door zowel behandelaar als patiënt benaderd wordt als een echte ziekte. Dehue betoogt in dit verband dat DSM-labels, die oorspron-

kelijk slechts zijn bedoeld om het taalgebruik in de psychiatrie te standaar-
diseren, in de praktijk haast automatisch de status van 'oorzaken' krijgen.
Deze verheffing van klinisch beeld tot ziekte stimuleert volgens Dehue en
verschillende andere auteurs het gebruik van psychofarmaca. Het samenspel
van DSM en farmaceutische industrie zou op deze wijze geleid hebben tot
de psychiatrisering van alledaagse levensproblemen.[40]

ADHD en de 'farmaceutische revolutie'

Deze critici verwijzen daarmee naar een belangrijke verandering in de
kinderpsychiatrische behandelpraktijk. Daarin voltrok zich volgens ken-
ners een ware *revolutie* in de omgang met psychofarmaca. Vóór 1985 waren
Nederlandse kinderpsychiaters uiterst terughoudend met het voorschrijven
van medicatie. Na 1985 en vooral na 1990 verdween het taboe op psychotrope middelen in de kinderpsychiatrie. Het voorbeeld bij uitstek van deze
revolutie is de veranderende houding tegenover de gebruikelijke behandeling van ADHD-patiënten met methylfenidaat. Zoals in hoofdstuk 4 is
vermeld, werd het middel in Nederland tot diep in de jaren tachtig nauwelijks gebruikt uit vrees voor schadelijke neveneffecten, mede omdat het een
amfetamine-achtig preparaat betrof dat was opgenomen in de opiumwet. In
de jaren negentig sloeg deze situatie compleet om, zoals moge blijken uit de
eerder genoemde cijfers van het spectaculair toegenomen aantal verstrek-
kingen van methylfenidaat.[41]

Allerlei factoren hebben aan deze explosieve stijging van het gebruik van
Ritalin® bijgedragen. Voor de houding van kinderpsychiaters en andere
artsen is het ongetwijfeld van groot belang geweest dat zij, op grond van
het vele wetenschappelijke onderzoek dat daarnaar is gedaan, over het algemeen overtuigd zijn geraakt van de werkzaamheid en veiligheid van het
geneesmiddel. Aangetoond is dat methylfenidaat bij 70 tot 80 procent van
de ADHD-patiënten leidt tot een aanzienlijke symptoomreductie, dat de
bijwerkingen relatief mild zijn en dat die vooral in het begin van de behandeling optreden bij niet meer dan 10 á 15 procent van de behandelde
patiënten. Tevens zijn er aanwijzingen dat het gebruik van methylfenidaat
de kans dat een kind met ADHD op latere leeftijd een verslaving opdoet
eerder verkleint dan vergroot.[42]

Ook de in de praktijk ervaren successen hebben waarschijnlijk de opstelling van veel behandelaars ten aanzien van het gebruik van methylfenidaat
doen veranderen. Een sociaal-psychiatrisch verpleegkundige van het Riagg-

Utrecht sprak in een interview uit 2000 van 'verbluffende resultaten: verhalen van kinderen die van de ene dag op de andere omsloegen, die opeens op school netjes aan hun tafels gingen leren en thuis ervaren werden als een ander kind [...]. Eigenlijk door het succes van Ritalin zijn wij daar toch anders over gaan denken. Dat is een geleidelijk proces geweest [...]. Maar we konden niet ontkennen dat het spul gewoon verdomd goed werkte'.[43]

Veel van de bezwaren tegen het middel zijn zo weggenomen, maar lang niet alle. Regelmatig klinken bijvoorbeeld verontruste stemmen in de media over de bijwerkingen van methylfenidaat. Een ander lastig punt blijft dat de langetermijneffecten van behandeling met methylfenidaat nog niet bekend zijn. Tevens is het inzicht in hoe en waarom het middel werkt nog altijd beperkt. Ook is nog veel onduidelijk over de optimale dosering en gebruiksduur. Nadelig is daarbij de kortdurende werking van Ritalin®. Patiënten moeten ongeveer elke vier uur het middel opnieuw innemen. Dit kan in de praktijk tot moeilijkheden leiden, kinderen kunnen bijvoorbeeld vergeten hun pillen mee naar school te nemen of op tijd in te nemen. Zodra het middel is uitgewerkt hebben ze bovendien vaak last van het zogenaamde 'rebound-effect', wat wil zeggen dat de ADHD-symptomen *in verhevigde mate* terugkeren. Deze problemen werden enigszins ondervangen toen vanaf 2003 enkele varianten van methylfenidaat op de markt kwamen met gereguleerde afgifte. Deze middelen worden echter, in tegenstelling tot Ritalin®, niet volledig vergoed. Sommige auteurs vrezen daarom voor een tweedeling van enerzijds 'arme' ADHD-patiënten aan de Ritalin® en anderzijds 'rijke' ADHD-patiënten aan de dure varianten met gereguleerde afgifte.[44]

Daarnaast is er kritiek op het wetenschappelijk onderzoek naar de effecten van psychofarmaca, waaronder methylfenidaat. Sinds de opkomst van de zogenaamde *evidence based medicine* in de jaren negentig, geldt het zogenaamde dubbelblinde gerandomizeerde gecontroleerde experiment als de ideale methode om werkelijk te bewijzen dat een bepaalde behandeling effect heeft. Dehue betoogt echter dat deze *randomized clinical trials* (RCT's) geen neutrale onderzoeksinstrumenten zijn. Niet vanwege de 'objectieve' resultaten, maar vanwege de ideologische principes waarop ze zijn gebaseeeerd, dragen de RCT's – en daarmee de zogenaamde *evidence based medicine* – volgens haar bij aan de totstandkoming van de hegemonie van het biologische ziektemodel in de (kinder)psychiatrie. Tevens worden daardoor therapievormen die gericht zijn op symptoomreductie, zoals gedragstherapie en medicinale behandeling, bevoordeeld, en bijvoorbeeld psycho-dynamische therapieën benadeeld.[45]

Een veel heikeler punt is dat veel onderzoek naar de effecten en bijwerkingen van medicijnen wordt betaald door de farmaceutische industrie zelf. Dehue spreekt in dit verband van het 'farmaceutisch-wetenschappelijk complex'. Dit complex is volgens haar ontstaan door de commercialisering van de wetenschap, die op haar beurt grotendeels het gevolg is van het bezuinigings- en privatiseringsbeleid van de overheid. Onderzoekers zijn daardoor als het ware in de armen gedreven van externe geldschieters, zoals farmaceutische bedrijven. Zo kon het gebeuren dat de laatste jaren vrijwel alle RCT's naar de effectiviteit van psychofarmaca werden verricht door commerciële onderzoeksbureaus die in sterke mate afhankelijk zijn van de producenten van deze geneesmiddelen. Deze ontwikkeling baart niet alleen Dehue, maar ook andere auteurs, wetenschappers en bovendien de Koninklijke Nederlandse Academie voor de Wetenschappen grote zorgen. Zij menen dat de betrouwbaarheid en de onafhankelijkheid van de wetenschap in het geding zijn. Vergelijkende studies hebben namelijk significante verschillen laten zien tussen de resultaten van enerzijds onafhankelijk en anderzijds door de farmaceutische industrie gesponsorde onderzoeken naar de effectiviteit en bijwerkingen van geneesmiddelen.[46]

In sociologische optiek, tot slot, is de toepassing van methylfenidaat een vorm van sociale controle. Door de dominante 'bio-medische' benadering zou 'druk gedrag' van kinderen gereduceerd worden tot een individueel probleem, terwijl de sociale context waarin de problemen zich voordoen, buiten beschouwing blijft. Er is volgens veel commentatoren alle reden om de aandacht daar juist wel op te richten. Zij wijzen in dit verband op de invloed van de situatie in gezinnen en op scholen op het ontstaan van ge-dragsproblemen, het onevenredig voorkomen van ADHD bij jongens (in een verhouding van 3 á 4 : 1 ten opzichte van meisjes) en het relatief grote aantal ADHD-'patiënten' onder de lagere sociaal-economische klassen.[47]

Relativering van de *biological turn*

De psychosociale kant
Met alle aandacht voor (de gevolgen van) het gebruik van methylfenidaat zou echter vergeten kunnen worden dat dit niet de enige toegepaste the-

rapie bij ADHD is. Kinderpsychiaters zijn over het algemeen sterk gekant tegen een behandeling van ADHD, die uitsluitend bestaat uit het voorschrijven van methylfenidaat. Ook andere interventies dienen volgens hen een belangrijke rol in de behandeling te spelen, waaronder psycho-educatie – waarvoor ouderverenigingen, tekenend voor de status die ze zich verworven hebben, een belangrijke rol toegedicht krijgen – en vormen van gedragstherapie, vooral wanneer die in de vorm van *parent management training* (PMT) op de ouders zijn gericht. Volgens de Gezondheidsraad en de hierboven genoemde richtlijn van de NVvP uit 1999 is de inzet van methylfenidaat alleen bij ernstige problematiek zonder meer geïndiceerd, en dan vaak tijdelijk, met het doel de juiste voorwaarden te scheppen voor *andere* behandelvormen. De opstelling in de *multidisciplinaire richtlijn ADHD* uit 2005 is minder terughoudend, maar ook daarin zijn de nodige *checks and balances* opgenomen. Zo wordt aanbevolen om minimaal eens per half jaar na te gaan of gestopt kan worden met methylfenidaat en de behandeling met medicijnen te combineren met psychosociale interventies.[48]

Veelbetekenend in dit verband is de houding die door kinderpsychiaters en de Gezondheidsraad werd ingenomen tegenover een groot en invloedrijk Amerikaans onderzoek uit 1999, de *National Institute of Mental Health Multimodal Treatment Study of ADHD* (verder te noemen: het MTA-onderzoek). Daar kwam onder andere uit dat behandeling met alleen methylfenidaat net zo effectief was als methylfenidaat gecombineerd met gedragstherapie en effectiever dan gedragstherapie alleen. Dit was noch voor de Gezondheidsraad noch voor de meeste kinder- en jeugdpsychiaters reden om kinderen met ADHD in het vervolg alleen medicamenteus te behandelen. Zij wezen onder andere op de bevinding in het MTA-onderzoek dat de tevredenheid van ouders, onafhankelijk van het behandeleffect op de kernsymptomen, substantieel groter was bij de gedragstherapie en de combinatietherapie dan bij de medicatie alleen. Dit maakte volgens de Gezondheidsraad aannemelijk dat de gedragstherapie tegemoet kwam aan andere wensen of aspecten die voor het gezin van belang waren. De MTA-onderzoeksgroep zelf schreef hierover, in een publicatie van een *follow-up*onderzoek uit 2004, dat zaken als kwaliteit van leven en algemeen functioneren wel eens belangrijker zouden kunnen zijn dan het beoordelen van symptomatische verbeteringen en bijwerkingen.[49]

Dit sluit aan bij het belang dat de Gezondheidsraad in haar rapport uit 2000 hechtte aan de *impairment*, de gevolgen die het kind en zijn omgeving ondervinden van zijn symptomen. De ernst daarvan zou grotendeels bepaald worden door *psychische* factoren en de *sociale* situatie waarin het kind zich bevindt. Volgens de raad stellen kinderen met de aanleg voor ADHD hoge eisen aan de opvoedingskwaliteiten en inzet van de ouders en aan de verdraagzaamheid van hun sociale omgeving, met alle mogelijke gevolgen van dien:[50] 'De relaties van ouders en andere gezinsleden met het kind en onderling kunnen op alle mogelijke manieren onder druk komen te staan en dit leidt vaak tot verdere emotionele en gedragsproblemen. Ook de relaties buiten het gezin zijn vaak moeizaam. De afwijzing, ook door leeftijdsgenoten, kan het zelfvertrouwen sterk ondermijnen. Deze problemen, samen met de aandachtszwakte, zijn een duidelijke belemmering voor voldoende schoolprestaties en daarmee een bedreiging voor de intellectuele ontwikkeling'.[51]

Wanneer een dergelijke 'negatieve spiraal in de interactie tussen kind en omgeving'[52] optreedt, bedreigt dit volgens de Gezondheidsraad de verdere ontwikkeling van het kind en het psychosociale evenwicht in het gezin. Ook verslechtert daardoor de 'sociale prognose' van het kind op de lange termijn. ADHD is namelijk behalve een stoornis ook een risicofactor voor het optreden van latere sociale problemen, zoals schooluitval, verslaving, verkeersongelukken en criminaliteit. Ongunstige omgevingsfactoren als armoede, éénoudergezinnen en onvoldoende onderwijs doen de kans op deze problemen aanzienlijk toenemen. Verschillende onderzoeken (longitudinale, epidemiologische studies) hebben laten zien dat psychologische, gezins- en sociaal-economische factoren van grote invloed zijn op ernst en beloop van ADHD, en andere psychiatrische stoornissen bij kinderen. Daarnaast blijkt ADHD veelvuldig voor te komen onder (jeugdige) delinquenten.[53]

Het is daarom zowel met het oog op het maatschappelijk belang als het belang van het kind zelf en zijn naaste omgeving, dat de Gezondheidsraad het doorbreken van de negatieve spiraal in de ontwikkeling van het kind als het 'leidende principe' in de behandeling heeft gesteld. Precies ditzelfde leidende principe, met dezelfde onderbouwing, is ook opgenomen in de *multidisciplinaire richtlijn ADHD* uit 2005.[54]

Dit alles komt verrassend sterk overeen met wat in de literatuur over het ongedurige, het nerveuze en het 'MBD-kind' gezegd werd over de 'negatieve spiraal' en de invloed van psychosociale factoren op de ernst de problematiek en de prognose op de lange termijn. Deze continuïteit betekent niet dat zich helemaal geen paradigmawisseling van een psychoanalytische naar een bio-medische oriëntatie heeft voltrokken. Wel moet de *biological turn* enigszins gerelativeerd worden. De 'farmacologische revolutie' leidde niet tot de uitsluiting van andere, psychosociale behandelvormen. Ook op het gebied van de diagnostiek en het wetenschappelijke onderzoek heeft het 'biopsychosociale model' nog altijd de overhand in de kinder- en jeugd-psychiatrie, zoals de historici Bolt en De Goei recentelijk hebben aange-toond.[55]

Alternatieve benaderingen

In het licht van bovenstaande relativering van de *biological turn* is het in-teressant om te kijken naar de kanttekeningen die de socioloog Rafalo-vich plaatst bij het door hem zelf gehanteerde medicaliseringsconcept. In zijn studie uit 2004 interviewde hij 25 leraren, 26 medici, 30 ouders en 9 'ADHD-kinderen'. Hij concludeert dat er vele tegenstrijdige perspec-tieven op ADHD naast elkaar kunnen bestaan (letterlijk schrijft hij: 'In-terview data from these respondent group reflect the momentary nature of meaning, and demonstrate contradictory perspectives on ADHD can coexist').[56] Met andere woorden, de biologische benadering van ADHD is niet allesoverheersend, evenmin is de uitbreiding van het domein van de medische beroepsgroep op het terrein van afwijkend gedrag onontkoom-baar. Verschillende geïnterviewde ouders bleken bijvoorbeeld hun kind met ADHD niet als 'patiënt', maar juist als iemand met een bijzondere gave te beschouwen. Ook zag een aanzienlijk aantal leerkrachten ADHD, mede vanwege het onevenredige aantal jongens met deze diagnose, niet als een hersenziekte, maar als teken dat er iets mis was met het pedagogische kli-maat op de scholen. Sommige artsen gaven blijk van een zeer gereserveerde houding tegenover de toepassing van methylfenidaat.[57]

Besluit

Dat er vele verschillende visies op ADHD bestaan, valt goed te verklaren. Strikt genomen is ADHD niet meer dan een naam die in 1987 is afge-sproken om een bepaald complex aan samenhangende symptomen aan te duiden. De werkelijkheid achter de benaming ADHD is vooralsnog grotendeels in nevelen gehuld, wat ruimte biedt voor een veelheid aan opvattingen daarover.

Officieel zegt de term ADHD niets over de oorzaak van de symptomen of de aard van de 'aandoening', deze is oorspronkelijk (net als het hele DSM-classificatiesysteem) slechts bedoeld om het taalgebruik van deskundigen eenduidiger te maken. In de praktijk krijgt ADHD toch vaak de betekenis van 'ziekte'. Veel discussies spitsen zich toe op de vraag of dat wel terecht is. Er zijn namelijk een aantal problemen met de 'diagnose' ADHD. De pathofysiologie ('wat er precies mis is in de hersenen' waardoor de stoornis ontstaat) is ondanks al het hersenonderzoek van de laatste decennia nog voor een belangrijk deel onopgehelderd. Ook zijn er geen biologische of psychologische tests die deze diagnose onomstotelijk kunnen bevestigen. Diagnostici moeten daarom afgaan op subjectieve oordelen van onder andere ouders en onderwijzers. Daarnaast is de afgrenzing van ADHD problematisch. Een groot aantal kinderen met de diagnose ADHD voldoet ook aan de criteria voor een andere DSM-categorie. Velen twijfelen daarom of wel sprake is van afzonderlijke stoornissen. Wetenschappers klagen daarnaast dat ADHD een te vage, weinig precieze en overinclusieve 'noemer' is. Verder is het een arbitraire kwestie waar de scheidslijn tussen 'normaal' en 'afwijkend' gelegd moet worden.

Dit soort bezwaren geldt echter voor vrijwel alle psychiatrische stoornissen. Die moeten dan ook niet vergeleken worden met lichamelijke ziekten als een blindedarmontsteking of een gebroken been waarvan oorzaken, lichamelijke afwijkingen, beloop et cetera wel bekend zijn. Met andere woorden, ADHD is geen echte (lichamelijke) 'ziekte', maar iets van een andere orde: een psychiatrische stoornis. Dat betekent niet dat ADHD geen serieus te nemen verschijnsel is. Recent wetenschappelijk onderzoek heeft niet alle twijfels weg kunnen nemen, maar wijst wel in de richting dat bij ADHD erfelijkheid en afwijkingen in de hersenen een rol spelen. Daarnaast bevestigen zogenaamde 'factoranalyses' de samenhang van de gedragskenmerken die onder ADHD vallen en daarmee (tot op zekere hoogte) de validiteit van ADHD als diagnostische categorie. In de dagelijkse praktijk herkennen onderwijzers en hulpverleners vaak moeiteloos kinderen met ADHD, zodra die bij hen in de klas of in de spreekkamer komen. Blijkbaar is er iets kenmerkends aan het gedrag en de manier van reageren van deze kinderen. Ouders herkennen vaak ook iets van zichzelf bij hun kind met ADHD. Toen zij jong waren vertoonden ze vergelijkbaar gedrag, waarmee ze vaak ook allerlei problemen kregen, thuis en op school. Deze ervaringsfeiten voeden het ook op wetenschappelijk onderzoek gestoelde vermoeden dat sprake is van een stoornis met een belangrijke erfelijke factor.

Kortom, ook al gaat de vergelijking met een lichamelijke ziekte niet op, ADHD moet beschouwd worden als een reëel probleem en als een psychiatrische stoornis met een zekere validiteit. Dat neemt niet weg dat er veel haken en ogen zitten aan de diagnose ADHD. Die hebben echter niet zozeer betrekking op het 'bestaan' van de stoornis als zodanig, als wel op de vraag of de grenzen ervan niet veel te veel zijn opgerekt. Kritische auteurs als Conrad en Dehue erkennen bijvoorbeeld dat ADHD-patiënten een 'echte' stoornis kunnen hebben, maar menen dat de drempel voor de diagnose in de loop van de tijd zozeer is verlaagd dat er ook mensen onder zijn gaan vallen, bij wie niets of iets heel anders aan de hand is.[58]

Een vergelijkbaar betoog kan gevoerd worden over de behandeling van ADHD met methylfenidaat. Er is veel kritiek op de (vermeende) bijwerkingen van dit middel, de onbekendheid van de lange termijneffecten, de verwevenheid tussen wetenschap en farmaceutische industrie en de vermeende 'biologische eenzijdigheid' van behandelaars. Dat laatste moet echter gerelativeerd worden: volgens de Gezondheidsraad en de multidisciplinaire richtlijn moet de leidraad bij de behandeling van ADHD zijn: het doorbreken van de negatieve spiraal tussen kind en omgeving. Er is dus wel degelijk oog voor psychosociale factoren en behandelmethoden. Daarnaast hebben wetenschappelijk onderzoek en in de praktijk ervaren successen aangetoond dat veel ADHD-patiënten baat hebben bij de behandeling met geneesmiddelen als methylfenidaat. Weinigen zullen dat dan ook ontkennen. Veel meer discussie is er over de vraag of deze medicijnen tegenwoordig niet te snel en te vaak worden voorgeschreven.[59]

Met de discussie over het oprekken van de grenzen van de diagnose ADHD en van het indicatiegebied van Ritalin® en andere ADHD-geneesmiddelen, komen we op het onderwerp van hoofdstuk 6: de verschillende verklaringen (de 4 M'en) voor de *epidemische ontwikkeling* die ADHD de laatste vijftien jaar heeft doorgemaakt.

HOOFDSTUK 6: VERKLARINGEN VOOR DE ADHD-EPIDEMIE (4XM)

De belangrijkste brandstof voor alle discussies over ADHD is niet zozeer de stoornis als zodanig of de behandelpraktijk, als wel de spectaculaire *groei* van het aantal diagnoses en het gebruik van geneesmiddelen als methylfenidaat (Ritalin®). Dit hoofdstuk gaat over vier veel gegeven verklaringen voor deze epidemische ontwikkeling – de 4 M'en: *mode, moderne* tijd, *medische* vooruitgang en *medicalisering*. De 4 M'en worden hieronder nader toegelicht en bovendien kritisch getoetst aan de hand van de in het voorgaande beschreven (voor)geschiedenis van ADHD. Dit hoofdstuk sluit af met een conclusie waarin de belangrijkste voors en tegens van de 4 M'en worden samengevat. Bovendien wordt daarin een *vijfde* 'M' geïntroduceerd.

Mode

'Een wel erg langdurig modeverschijnsel'
ADHD wordt door velen gezien als een modediagnose, maar daar is, gezien de (voor)geschiedenis van ruim een eeuw, veel op af te dingen. Al sinds circa 1900 worden verschijnselen als hyperactiviteit, impulsiviteit en slechte aandachtsconcentratie opgevat als medisch én als veelvoorkomend probleem. De kinder- en jeugdpsychiater E.H. Nieweg schrijft daarom: 'Als ADHD een modeverschijnsel is, dan is het wel een erg langdurig modeverschijnsel'.[1]

Toch is dit iets te gemakkelijk gezegd. De *omvang* van zowel de ADHD-epidemie als van alle (media-)aandacht daarvoor heeft geen precedent. Weliswaar leek in het verleden ook een groot aantal kinderen te lijden aan zenuwachtigheid, nervositas en MBD, maar het totaal aantal daadwerkelijk gestelde diagnoses lag veel lager dan tegenwoordig bij ADHD. Tevens was er wel publieke belangstelling voor genoemde voorlopers, maar de schaal daarvan is niet te vergelijken met de tegenwoordige 'hype' rond ADHD.

De spectaculaire opkomst van ADHD sinds de jaren negentig heeft wel degelijk mode-achtige trekken, maar de geschiedenis leert wel dat ADHD *niet alleen* een modeverschijnsel is. Achter het 'hype-achtige uiterlijk' van ADHD schuilt een structureel, blijvend fenomeen.

De rol van de media

Al is het dus slechts tot op bepaalde hoogte, voor een deel heeft de ADHD-epidemie iets van een mode. Vriend en vijand zijn het er over eens dat de media daarbij een belangrijke rol hebben gespeeld. Dit blijkt ook uit een rapport van het Rathenau Instituut uit 2002, geschreven door de onderzoekers Pieters, Te Hennepe en De Lange. In algemene zin hebben de media volgens hen bijgedragen aan een cultuuromslag ten aanzien van het gebruik van medicijnen. De 'pillenpreutsheid' die Nederlanders tot in de jaren tachtig kenmerkte, maakte door de afnemende invloed van de 'calvinistische gezondheidstraditie' plaats voor een grote bereidheid in de jaren negentig om zelfs *lifestyle* medicijnen te slikken (als voorbeeld noemen ze Prozac®, Viagra® en *Ritalin*®).[2] Specifiek ten aanzien van ADHD en het gebruik van Ritalin®, zou de grote media-aandacht die daar vanaf het midden van de jaren negentig in Nederland voor bestond, stoornis en ziektebeeld uit de taboesfeer hebben gehaald. ADHD werd in televisieprogramma's en artikelen in kranten en tijdschriften namelijk gepresenteerd als een 'normale' behandelbare kinderaandoening. Ouders en leerkrachten raakten zo volgens Pieters et al. niet alleen meer bekend met ADHD, ook werd het voor hen gemakkelijker een eventuele diagnose en het voorschrijven van methylfenidaat bij hun (school)kind te accepteren. Dit zou er toe hebben geleid dat ouders en leerkrachten eerder signaleerden dat een kind mogelijk ADHD had en bovendien eerder daarmee naar een arts gingen, met een toename van het aantal ADHD-diagnoses en behandelingen met methylfenidaat tot gevolg.[3]

Pieters et al. stellen ook dat de toon in de berichtgeving over ADHD in de media rond 1999 veranderde. Als gevolg van de explosieve stijging van het aantal ADHD-diagnoses en vooral van het gebruik van Ritalin®, maakte de normaliserende teneur plaats voor een veel kritischer geluid. ADHD werd een modeverschijnsel genoemd. Medici verschenen in de media met de klacht dat ouders en leerkrachten het label ADHD zouden opeisen voor hun probleemkinderen. Daarnaast werden sensationele verhalen gebracht over misbruik van Ritalin®. Naar aanleiding van een *Zembla*-documentaire uit 2000, getiteld 'kinderen aan de pil', werden zelfs kamervragen gesteld aan de ministers van VWS en OC&W over het 'onrustbarend' toegenomen gebruik van Ritalin® bij kinderen. De kritische publieke belangstelling voor ADHD en dit geneesmiddel droeg bovendien bij aan het besluit van de minister van VWS in hetzelfde jaar om de Gezondheidsraad om advies te vragen over de prevalentie, diagnose en behandeling van ADHD, wat resulteerde in het eerder genoemde rapport uit 2000.[4] De laatste jaren blijven de onderwerpen ADHD en ADHD-geneesmiddelen regelmatig opduiken in de media.

Dit relaas over de media-aandacht voor ADHD vertoont veel overeenkomst met de publieke belangstelling voor MBD aan het eind van de jaren zeventig en het begin van de jaren tachtig, al was de schaal van zowel de MBD-'epidemie' als de media-aandacht daarvoor een stuk kleiner dan later bij ADHD. In verscheidene radio- en televisieprogramma's werd MBD gepresenteerd als hersenziekte, mede om uit te dragen dat de ouders noch het kind zelf schuldig waren aan het probleemgedrag. 'MBD-kinderen' zouden kinderen met een (lichte) handicap zijn die, evenals hun ouders, vooral recht hadden op erkenning, begrip en hulp. Zo werd ook MBD uit de taboesfeer gehaald en genormaliseerd. Tegelijkertijd nam de kritiek toe dat de term MBD te pas en te onpas werd gebruikt, een verzamelnaam was geworden, een *catch-all* formule. Dit alles was ook toen reden om de Gezondheidsraad om advies te vragen.[5]

Het lijkt er daarom op dat 'modediagnoses' hun eigen tegenkrachten oproepen. Het oprekken van de grenzen van MBD en ADHD ondermijnde namelijk op den duur hun legitimatie als diagnostische categorie. Zolang deze concepten beperkt bleven tot ernstige gedragsproblemen, werden ze nog relatief gemakkelijk aanvaard als valide medische diagnoses. Dat veranderde echter, naarmate daar ook steeds vaker lichte, 'alledaagse' vormen van afwijkend gedrag onder vielen. Dit betekent dat medici niet slechts belang hebben bij de expansie van hun domein, omdat die op den duur hun professionele geloofwaardigheid kan aantasten.[6]

Spiraalwerking

Pieters en zijn medeonderzoekers zien, naast de rol van de media, nog een andere belangrijke factor ter verklaring van de ADHD-epidimie: de 'spiraalwerking' tussen diagnostiek en behandeling. Daarmee bedoelen zij dat aan de ene kant de toename van het aantal ADHD-diagnoses het gebruik van methylfenidaat heeft gestimuleerd en aan de andere kant de ervaren werkzaamheid van dit geneesmiddel extra geloofwaardigheid heeft verleend aan de diagnose ADHD.[7] Op deze manier kan zich een mode-achtige ontwikkeling voordoen: artsen grijpen graag naar behandelingen en diagnoses waar ze goede ervaringen mee hebben opgedaan. Zo kunnen sommige behandelingen en de bijbehorende diagnoses (methylfenidaat en ADHD bijvoorbeeld) ineens 'in' zijn in de medische behandelpraktijk.

De spiraalwerking wordt volgens Pieters en collega's versterkt door de wachtlijstproblematiek in de geestelijke gezondheidszorg. Hierdoor kunnen huisartsen kinderen met gedragsproblemen vaak niet doorverwijzen, zodat zij zelf de diagnose moeten stellen en de behandeling bepalen. Om deze taak het hoofd te kunnen bieden, is voor deze overbelaste huisartsen het voorschrijven van methylfenidaat een relatief eenvoudige, snel beschikbare en economisch aantrekkelijke interventie. Tevens gebruiken huisartsen methylfenidaat soms als hulpmiddel bij het stellen van de diagnose ADHD, aldus Pieters et al.[8]

De indruk dat de huisarts een steeds belangrijker rol vervult bij het voorschrijven van methylfenidaat vindt bevestiging in een onderzoek uit 2005 naar het voorschrijfgedrag van zeventien huisartsen in de periode 1998-2003. Daaruit kwam niet alleen een verdrievoudiging van het aantal gebruikers van methylfenidaat naar voren, maar ook dat meer dan de helft van hen niet was doorverwezen naar specialistische hulp.[9] Volgens de kinderpsychiaters Klasen en Verhulst blijkt uit dit onderzoek dat een aanzienlijk aantal kinderen en adolescenten methylfenidaat krijgt, terwijl ze een aandoening hebben waarvoor dit geneesmiddel niet is geïndiceerd. Aan de andere kant zijn er ook kinderen en adolescenten met ADHD-symptomen die géén medicijnen voorgeschreven krijgen of niet in de juiste dosering. Die zou namelijk alleen bij zorgvuldige en deskundige begeleiding vastgesteld kunnen worden. Om dergelijke vormen van verkeerde, over- en onderbehandeling te voorkomen, moeten volgens Verhulst en Klasen de diagnostiek en de initiële behandeling van ADHD verricht worden door een gespecialiseerd multidisciplinair team.[10] Het is overigens de vraag of dat in de praktijk wel altijd haalbaar is, alleen al gezien de bovengenoemde wachtlijstproblematiek.

Moderne tijd

100 jaar geleden lag het ook al aan de 'moderne tijd'

De eerder genoemde kinderpsychiater Nieweg bestrijdt niet alleen dat ADHD een modeverschijnsel is, maar ook dat het een recent fenomeen is. De geschiedenis leert volgens hem dat de ADHD-epidemie niet is voorgekomen 'uit het tijdperk van de computer en werkende moeder'.[11] Met dit citaat gaat hij in op de twee manieren waarop vaak de 'moderne samenleving' als oorzaak wordt gezien van de sterke stijging van kinderen met ADHD en andere gedragsstoornissen. De 'computer' staat symbool voor een hoogtechnologische tijd, waarin kinderen ondergedompeld worden in een overvloed aan indrukken en prikkels van computerspelletjes, internet, televisie, mobiele telefoontjes, verkeersdrukte en lawaai. De 'werkende moeder' verwijst naar de moderne levensstijl waarin gestresste ouders vooral druk met zichzelf zijn en moeite hebben met de combinatie van werken en zorgen, terwijl hun kinderen heen en weer worden gesleept tussen thuis, school, opvangadres, sportclub en muziekles.

Er zijn de nodige vraagtekens te plaatsen bij deze 'kenmerken' van de moderne samenleving. Het is bijvoorbeeld onzeker dat er tegenwoordig meer prikkels op kinderen af komen dan vroeger. Een stedeling in de Middeleeuwen bijvoorbeeld had heel wat meer zintuiglijke indrukken te verwerken, vooral veel stank en herrie. Mensen zaten vroeger dicht op elkaar gepropt. Nu heeft ieder individu veel meer vierkante meters ruimte voor zichzelf ter beschikking, kinderen hebben vaak een eigen kamer, huizen zijn beter geïsoleerd dan ooit et cetera. Daarnaast blijkt uit onderzoek van Buitelaar dat de tweeverdienende ouders van tegenwoordig eerder meer dan minder tijd en aandacht (*quality time*) besteden aan hun kinderen dan hun voorgangers dertig, veertig jaar geleden.[12]

Het geeft bovendien te denken dat honderd jaar geleden ook al werd geklaagd over de drukte en prikkelrijkdom van de moderne samenleving en de toename van het aantal zenuwzieken die daar het gevolg van zou zijn. Dergelijke klachten lijken vooral voort te komen uit de conservatieve natuur van de mens, die nu eenmaal een gewoontedier is. Zoals ouderen het ook altijd hebben over 'de jeugd van tegenwoordig', zo is het al enkele eeuwen de gewoonte allerlei gezondheids- en sociale problemen toe te schrijven aan de moderne tijd. Blijkbaar kost het mensen moeite om zich aan te passen aan veranderingen in hun leefomgeving. Kinderen hebben daar over het algemeen echter minder moeite mee dan volwassenen. Veel ouders staan bijvoorbeeld verbaasd over de soepele wijze waarop hun kinderen omgaan met alle prikkels en informatiestromen van computer, televisie en mobiele telefoon, meerdere apparaten tegelijk aan hebben staan en toch in staat blijken hun huiswerk te maken.

Vragen we teveel van onze kinderen?
Toch moet de 'moderne tijd' als verklaring voor de ADHD-epidemie niet te gauw terzijde worden geschoven. De positie en leefomstandigheden van het kind in de samenleving is in de afgelopen eeuwen drastisch veranderd. Welke gevolgen dat heeft gehad voor de geestelijke gezondheid van kinderen, is buitengewoon moeilijk vast te stellen, maar het is op voorhand niet onaannemelijk dat die gevolgen er wel zijn. Dit is bovendien een prangende kwestie, omdat het aantal kinderen en ouders dat om hulp vraagt bij de jeugdzorg of jeugdhulpverlening de laatste decennia explosief is gestegen. Mede om die reden heeft Nederland zelfs een minister voor Jeugd en Gezin.

Volgens deze minister, André Rouvoet, worden er in de huidige samenleving hoge eisen gesteld aan kinderen. Kinderen die wat kwetsbaarder zijn, zouden daardoor sneller in moeilijk vaarwater terechtkomen. In een interview zei Rouvoet in dit verband: 'Wij vragen teveel van onze kinderen'.[13] De opvatting van onder andere wetenschapsfilosofe Dehue sluit hier nauw bij aan. Zij stelt dat kinderen in Westerse samenlevingen al heel jong moeten presteren, terwijl falen steeds minder wordt geaccepteerd. Na 1980 heeft volgens haar het ideaal van de maakbare samenleving plaatsgemaakt voor dat van het maakbare individu. De eisen waaraan individuele burgers moeten voldoen zijn opgeschroefd, het geduld met afwijkende mensen is afgenomen en de eigen verantwoordelijkheid van ('abnormale') individuen is het leidende uitgangspunt geworden in de politiek en de gezondheidszorg. In dit maatschappelijke klimaat hebben ouders de plicht om hun eigen lot en dat van hun kinderen in eigen hand te nemen. Zij mogen niet langer berusten in het lastige gedrag van hun kinderen, maar moeten daar mee aan de slag, bijvoorbeeld door het kind naar een kinderpsychiater te brengen, aldus Dehue.[14] Kortom, de belangrijkste verklaring voor de ADHD-epedimie is 'dat mensen het beste willen voor hun kind in een maatschappij waar de prestatie-eisen steeds groter worden'.[15]

Deze interpretatie van Dehue is om een aantal redenen zeer interessant.

In de eerste plaats schrijft ze de hierboven geschetste ontwikkelingen voor een deel op het conto van de biologische psychiatrie. De gedachte dat het lichaam zelf de oorzaak zou zijn van psychische problemen, betekent namelijk ook dat die problemen opgelost kunnen (en dus: *moeten*) worden door aan de 'biologie' van de mens te sleutelen.[16] In de tweede plaats gaat ze in tegen een bekende opvatting die vooral rond 1980 populair was, maar ook nu nog regelmatig naar voren wordt gebracht. Deze opvatting luidt dat de verzorgingsstaat en de welvaart tot 'verwekelijking' hebben geleid: doordat mensen van wieg tot graf gepamperd worden, zijn ze luxe, gemak en voorspoed normaal gaan vinden. Ze zijn minder goed in staat met tegenslagen, zoals het lastige gedrag van hun kinderen, om te gaan. Tevens zouden moderne burgers hebben afgeleerd om hun problemen zelf op te lossen, zodat ze zich steeds afhankelijker van professionele hulpverleners zijn gaan opstellen. Dehue draait deze redenering als het ware om. Zij spreekt niet van 'verwekelijking', maar van de 'verharding' van de samenleving – met als argument dat zowel de depressie- als de ADHD-epidemie zijn begonnen in een tijd waarin werd bezuinigd op de verzorgingsstaat.[17] In de derde plaats gaan zowel Dehue als de aanhangers van de 'verwekelijkingstheorie' ervan uit dat de tolerantie voor afwijkend gedrag gedurende de laatste decennia is afgenomen. Anderen, onder wie veel medici en (kinder-)psychiaters, betogen het omgekeerde: namelijk dat het taboe dat lang rustte op psychiatrische stoornissen geleidelijk aan het verdwijnen is. Met een kind naar de kinderpsychiater gaan om het te laten behandelen met 'psychotrope' medicatie is daardoor steeds gewoner geworden. Bijna net zo normaal als met je kind naar de kapper gaan. Het domein van het normale of acceptabele is in deze optiek dus niet kleiner maar groter geworden![18]

Hoe interessant ook, het is moeilijk om met zekerheid vast te stellen:
(1) of er inderdaad meer wordt gevraagd van kinderen dan vroeger;
(2) of de tolerantie voor afwijkingen is afgenomen dan wel toegenomen;
(3) in hoeverre deze factoren hebben bijgedragen aan de epidemische ontwikkeling van ADHD.
Vooralsnog roept de discussie over deze kwesties zinvolle vragen op, maar zijn er nog weinig antwoorden te geven.

Een modern verschijnsel
In één opzicht is ADHD echter wel met zekerheid een verschijnsel van de moderne tijd. Terwijl 'drukke' kinderen waarschijnlijk van alle tijden zijn,

worden hun gedragskenmerken pas sinds ruim een eeuw gezien als symptomen van een medisch-psychiatrische stoornis. De opkomst van de eerste voorlopers van ADHD vond plaats in de context van de snelle modernisering van de samenleving aan het eind van de negentiende eeuw. De medische wetenschap maakte in dezelfde periode een snelle ontwikkeling door. Onder de bevolking nam het vertrouwen in (medisch-)wetenschappelijke verklaringen en oplossingen toe, terwijl ze minder dan voorheen geneigd waren om hun heil te zoeken bij bijvoorbeeld dominees en priesters. Zo bezien is ADHD onlosmakelijk verbonden met de moderne samenleving, waarin de medische wetenschap en de geprofessionaliseerde gezondheidszorg een belangrijke plaats innemen. Veel mensen, onder wie de meeste artsen, vinden dat de moderne tijd op deze manier medische vooruitgang heeft gebracht; anderen zijn veel kritischer en spreken van medicalisering. Deze twee zienswijzen komen hieronder aan de orde.

Medische vooruitgang

Humanisering
Volgens veel medici (en overigens ook de aanhangers van het medicaliseringsperspectief) bekent de opmars van ADHD, en ook PDD, dyslexie en dyscalculie, helemaal niet dat er sprake is van een toename van het totale aantal gedragsgestoorde kinderen. Uit de systematische onderzoeken die de laatste 40 jaar zijn gedaan naar het vóórkomen van psychiatrische aandoeningen bij kinderen, is telkens en onveranderlijk gebleken dat in Westerse landen ongeveer 7% van de kinderen een dergelijke stoornis heeft.[19] De explosieve toename van het aantal ADHD-diagnoses komt volgens veel deskundigen dan ook niet doordat er meer drukke kinderen zijn dan vroeger, maar door de medische vooruitgang. Door de toegenomen kennis en verbeteringen in de diagnostiek en behandeling, zou ADHD vaker en ook in een eerder stadium worden herkend. Het zou daarbij helpen dat ook onder leken de bekendheid met het ziektebeeld is toegenomen en bovendien het taboe op het gebruik van psychofarmaca is verdwenen.

Het zou onzin zijn om te ontkennen dat er enige vooruitgang heeft plaatsgevonden. Zonder twijfel is de *kennis* over ADHD, methylfenidaat, erfelijkheid en hersenprocessen de afgelopen decennia toegenomen, ondanks alle onzekerheden en gaten die nog in die kennis zitten. Ook staat vast dat veel kinderen en hun ouders baat hebben gehad bij de diagnose ADHD en de behandeling met methylfenidaat en andere therapieën. De afname van symptomen door de medicijnen, het toegenomen begrip vanuit de sociale omgeving, de begeleiding op school en de betere manier waarop ouders dankzij de *Parent Management Training* in staat waren met ze om te gaan, hebben het leven van heel wat kinderen aangenamer gemaakt. Wie zich verdiept in concrete, individuele gevallen, kan hier niet omheen.

Op meer indirecte wijze heeft de bemoeienis van kinderpsychiaters en andere behandelaars met drukke kinderen bijgedragen aan een milder opvoedingsklimaat, zowel thuis als op school. In hoofdstuk 2 is ter sprake gekomen hoe de kinderpsychiater Bouman aan het begin van de twintigste eeuw ageerde tegen de oprichting van een 'strenge school' en tegen het gebruik van de plak en de roe. Bij veel lastige en ondeugende kinderen hadden strafmaatregelen of het dreigen daarmee volgens hem geen zin, omdat sprake was van een onderliggend, medisch defect. Ongeveer tegelijkertijd waarschuwden andere deskundigen op vergelijkbare wijze dat zenuwachtige kinderen veel leed werd berokkend, doordat niet onderkend werd dat ze aan een zenuwziekte leden. Ook in de literatuur over nervositas, ongedurigheid en MBD keerden deskundigen zich tegen hard en ontactisch optreden tegen kinderen met deze stoornissen door ouders en leerkrachten. De discipline die deze kinderen nodig hebben bestaat volgens deze auteurs niet uit (lijf)straffen, maar uit rust, duidelijkheid en structuur. Bovendien zouden opvoeders vooral geborgenheid en veiligheid moeten bieden. Deze ideeën over opvoeding lijken in het 'ADHD-tijdperk' steeds meer te zijn ingeburgerd in brede lagen van de samenleving. Zo heeft de medische bemoeienis met drukke kinderen bijgedragen aan een humanere omgang met drukke kinderen. Dit onderkent ook de socioloog Conrad, ondanks zijn kritische visie op het medicaliseringsproces.[20]

'De' stoornis bestaat niet

Toch is er een fundamenteel probleem met de notie van medische vooruitgang. Het grote en toenemende aantal diagnoses ADHD kan niet eenvoudigweg toegeschreven worden aan een betere herkenning van, of toegenomen kennis over 'de' stoornis. 'De' stoornis bestaat namelijk niet. De geschiedenis van ADHD gaat niet over de historische ontwikkeling van één en dezelfde ziekte-entiteit, daarvoor zijn de verschillen tussen ziektedefinities, behandelpraktijken en oplossingen in de loop van de tijd te groot. Bij het 'moreel-ethische defect' en de 'instabilitieit' van rond 1900 lag het accent niet in de eerste plaats op ADHD-achtige symptomen, maar op immoreel gedrag en misdadigheid. Zenuwachtige en nerveuze kinderen hadden allerlei lichamelijke klachten die nu *niet* met ADHD worden geassocieerd. Het MBD-concept omvatte meer en ernstiger afwijkingen dan ADHD, terwijl onder ADHD juist steeds lichtere afwijkingen lijken te vallen, die in vroegere tijden wellicht nog tot het domein van het normale werden gerekend.

Zo staat het allerminst vast dat ADHD en zijn voorlopers überhaupt wel betrekking hebben op dezelfde categorie kinderen. Voorzover het wel over dezelfde kinderen gaat, werd er gedurende de laatste honderd jaar heel verschillend gedacht over de aard van hun gedragsproblemen en de behandeling daarvan. Het moreel-ethische defect, de instabiliteit en tot op zekere hoogte de ongedurigheid werden, met de evolutietheorie als inspiratiebron, opgevat als een vorm van achterlijkheid of achterblijvende ontwikkeling. Dat is heel wat anders dan het zuurstoftekort bij de geboorte dat meestal als oorzaak werd gezien van MBD, laat staan de psychoanalytische visie van een verstoorde Ik-ontwikkeling. Bij ADD lag het accent op het aandachtstekort, tegenwoordig bij ADHD op een verstoorde gedragsremming, die onder andere geweten wordt aan een verkleinde omvang van en minder goede neurotransmissie in het voorste deel van de hersenen, de *prefrontale cortex*. Daarnaast is de discussie rond 1900 over de 'geestelijke overlading' die de school zou veroorzaken niet te vergelijken met de zorg over 'secundaire neurotisering' of de 'negatieve spiraal' tussen kind en omgeving uit latere tijden.

Voortdurende worsteling

Al kan dus niet gesproken worden van de geschiedenis van één ziekte-entiteit, drukke en lastige kinderen zijn waarschijnlijk van alle tijden. Niet de een of andere medische definitie, maar de voortdurende worsteling met deze kinderen geeft samenhang aan de geschiedenis van ADHD. Keer op keer kwamen daarin dezelfde thema's terug: de veelvoorkomendheid van deze gedragsproblematiek, de wisselwerking tussen aanleg en omgeving, het gevaar dat deze kinderen zouden afglijden op de maatschappelijke ladder, de moeilijkheden in de schoolklas en de noodzaak van preventie, vroege herkenning en behandeling. Toegegeven, het ging niet om een duidelijk afgebakende en zelfs niet altijd om dezelfde categorie kinderen. Echter, ook het onvermogen om tot een duidelijke omschrijving en afbakening te komen, is altijd onderdeel geweest van de worsteling met ADHD-achtige verschijnselen. Van zenuwachtigheid tot ADHD, telkens is van de gangbare medische definities gezegd dat ze vaag waren, onduidelijke grenzen hadden en een zeer heterogene groep kinderen omvatten. Niettemin hadden deze definities in grote lijnen betrekking op misschien niet precies dezelfde, maar wel sterk verwante gedragsproblemen. Bovendien onderscheidden deze kinderen zich van andere zorgenkinderen doordat ze geen verstandelijke handicap of duidelijk zichtbare psychiatrische of neurologische ziekten hadden.

Deze samenhang maakt het mogelijk om ADHD en aanverwanten grofweg in twee groepen te verdelen. Enerzijds waren er concepten die vooral gericht waren op het gedrag naar *buiten* toe: druk, impulsief, snel afgeleid, snel geprikkeld en soms ook agressief of crimineel gedrag. Anderzijds waren er ziektedefinities waarin het accent sterker lag op de problemen *in* het kind: moeite de aandacht vast te houden, korte spanningsboog, wegdromen, vaak ook lichamelijke verschijnselen als vermoeidheid en maag- en darmklachten, soms symptomen van angst. Tot de eerste categorie behoorden het moreel-ethische defect en ongedurigheid, tot het tweede zenuwachtigheid en nervositas. Het MBD-concept was breed genoeg om beide categorieën te omvatten, maar paste het meest bij de eerste. Niet voor niets werd in de jaren zeventig vooral in de Verenigde Staten de beschrijvende term 'hyperactiviteit' als min of meer synoniem gezien. Deze tweedeling bleef ook gehandhaafd in het onderscheid tussen ADD met of ADD zonder hyperactiviteit, evenals in de onderverdeling van ADHD in subtypes. Hoewel het gecombineerde subtype het meest is gediagnosticeerd, beschreven en onderzocht, bestaat er duidelijk een notie dat onder de noemer ADHD twee soorten problemen zijn samengevoegd: enerzijds hyperactieve en impulsieve gedragskenmerken (bij het hyperactief-impulsieve subtype), anderzijds aandachtszwakte (bij het aandachtszwakke subtype of ADD).

Hyperactiviteit en impulsiviteit worden in overgrote meerderheid onder jongens aangetroffen, aandachtszwakte heeft dit genderkarakter niet of zou zelfs vaker bij meisjes voorkomen. In dit verband wordt verondersteld dat er bij jongens sprake is van overdiagnostiek en bij meisjes van onderdiagnostiek. ADHD zou namelijk ook wel bij normaal druk en dus als hinderlijk ervaren lastig gedrag vastgesteld worden, terwijl abnormale aandachtszwakte vaak niet tot een diagnose zou leiden, omdat ouders en leerkrachten daar weinig last van ondervinden. Dit kan tot op zekere hoogte ook op het verleden worden geprojecteerd. Het moreel-ethische defect en de ongedurigheid waren 'jongenskwalen'. Ten aanzien van zenuwachtigheid en nervositas zijn er *geen* aanwijzingen voor een ongelijke verhouding tussen jongens en meisjes. Overigens kwamen deze laatste stoornissen ook *niet* relatief vaker voor onder de lagere sociale klassen, terwijl dat wel het geval was bij de aandoeningen uit de andere categorie. Hoewel dit moeilijk te staven is, lijkt het er dus op dat bovenstaande tweedeling op basis van genderkarakter ook opgaat voor het 'sociale klasse-profiel' van ADHD en zijn voorlopers.

Er is dus wel degelijk continuïteit en samenhang te ontdekken in de geschiedenis van ADHD, of beter gezegd: in de geschiedenis van de omgang met kinderen met 'ADHD-achtige' gedragsverschijnselen. Dit betekent echter niet dat er, zoals medici en kinderpsychiaters vaak suggereren, sprake was van een continue *ontwikkeling* of *vooruitgang*. Niet voor niets is in het voorgaande gerept van een voordurende worsteling met gedragsproblemen die al een eeuw als veelvoorkomend gelden, zonder dat medici er in slagen die goed te definiëren, de oorzaken vast te stellen, laat staan ze echt op te lossen. Wat dat betreft spreekt het, nog steeds, omstreden karakter van het ADHD-concept boekdelen. Dat ADHD ook steeds vaker bij volwassenen wordt vastgesteld zegt onder andere iets over het chronische karakter van de stoornis en daarmee over het onvermogen van behandelaars om volledige genezing te bewerkstelligen.

Ondanks de worsteling met ADHD, neemt het aantal diagnoses nog altijd toe. Dat is niet verwonderlijk. Een onvolkomen diagnose en een onvolkomen behandeling zijn voor veel kinderen en hun ouders te verkiezen boven geen diagnose en geen behandeling.

Medicalisering

Het sociologische begrip medicalisering behelst, plat gezegd, dat medici zich met steeds meer zaken zijn gaan bezighouden waar ze eigenlijk niets mee te maken hebben. De ADHD-epidemie zou daar een goed voorbeeld van zijn. Bij tenminste een deel van de patiënten zou de diagnose ADHD ten onrechte zijn gesteld en dus ook de behandeling overbodig zijn.

In het eerste hoofdstuk is besproken dat medicalisering – en ook de ADHD-epidemie – door sociologen wordt beschouwd als de uitkomst van de interactie tussen medici, ouders en onderwijzers. Daarbij betrekken ze ook maatschappelijke en historische factoren, zoals de macht van de farmaceutische industrie, het beleid van de overheid, veranderingen in de verhouding tussen sociale klassen en ontwikkelingen op het gebied van onderwijs. Hierover is in voorgaande hoofdstukken al het een en ander gezegd. Om herhaling te voorkomen worden hieronder alleen enkele nieuwe elementen uit de debatten over ADHD en medicalisering beschreven. Pas later in deze paragraaf worden daar ook kritische kanttekeningen bij geplaatst.

Mondige ouders

Volgens verschillende auteurs is de *biological turn* in de kinderpsychiatrie (zie hoofdstuk 5) ook buiten de geestelijke gezondheidszorg van invloed geweest en is er in de 'lekencultuur' sprake van een vrijwel algemene acceptatie van het biologische ziektemodel. Dit betekent, menen zij, dat ouders gemakkelijker dan voorheen een medisch excuus voor het lastige gedrag van hun kinderen tot hun beschikking hebben, waar zij ook grif gebruik van maken.[21] Dehue begrijpt wel waarom: 'Er kan troost uitgaan van de gedachte dat het om een ziekte gaat voor wie lijdt onder het problematische gedrag van zichzelf of anderen, onder neerslachtigheid, angst, dwanghandelingen of waandenkbeelden. Het opgeluchte gevoel van een diagnose is goed voorstelbaar. Die vertelt dat anderen het probleem ook hebben en dat er deskundigen zijn die zich erover buigen'.[22]

De verspreiding van de biologische visie op ADHD onder de bevolking schrijven een aantal critici vooral op het conto van 'medical entrepreneurs' (medische ondernemers). Gezondheidsvoorlichters, vertegenwoordigers van de farmaceutische industrie en ambitieuze medici of onderzoekers (al dan niet betaald door de farmaceutische industrie) zouden ieder in hapklare brokken, op suggestieve wijze en met gebruikmaking van de moderne massamedia de boodschap prediken dat ADHD een hersenziekte is die het beste behandeld kan worden met methylfenidaat.

Ook Dehue en verschillende sociologen waarschuwen hiervoor, maar tegelijkertijd verzetten zij zich tegen complottheorieën en een *top-down* voorstelling van het medicaliseringsproces. De drastische uitbreiding van het medische domein, de explosieve groei van het aantal ADHD-diagnosen was volgens hen ondenkbaar geweest zonder de stilzwijgende acceptatie of zelfs de actieve medewerking van leerkrachten en ouders. Dehue wijst in dit verband op de *reflexiviteit* van de menswetenschappen. Ze doelt daarmee op het gegeven dat het object van menswetenschappelijk onderzoek, de mens zelf, reageert op de uitspraken die over hem worden gedaan. Een concreet voorbeeld daarvan is dat mensen aan de haal kunnen gaan met DSM-labels, door er nieuwe betekenissen aan te geven die niet door de oorspronkelijke bedenkers waren bedoeld. Terwijl kinderpsychiaters weten dat DSM-categorieën slechts op afspraak berustende rubrieken zijn, maken leken die zelf tot 'echte' hersenziekten, waarmee zij als het ware een nieuwe werkelijkheid creëren, waar ook deskundigen weer mee om moeten gaan. In plaats van eenrichtingsverkeer bij de verspreiding van het biologische ziektemodel, is daarom sprake van een *feedback loop* tussen professionals, media, industrie, overheid en leken.[23]

Een belangrijke rol in deze *feedback loop* wordt vervuld door ouderverenigingen, die vanaf de jaren tachtig sterk aan invloed hebben gewonnen. In de commissie die het rapport van de Gezondheidsraad uit 2000 schreef, had bijvoorbeeld een afgevaardigde van een dergelijke vereniging zitting. De overheid, verzekeraars en behandelaars dichten deze organisaties ook een belangrijke voorlichtende functie toe. Het is sinds de jaren negentig zeer gebruikelijk om ouders van nieuwe patiëntjes ook naar deze verenigingen door te verwijzen. Er is echter ook kritiek op ouderorganisaties. Die zouden zich op dermate krachtige wijze inzetten voor de erkenning van ADHD als hersenziekte, dat artsen zich regelmatig onder druk gezet voelen om deze visie over te nemen. Een bedenkelijk feit daarbij zou zijn dat veel van deze organisaties sponsorgelden ontvangen van de farmaceutische industrie.[24]

De sterke positie van ouderverenigingen past binnen een algemenere culturele ontwikkeling waarin burgers steeds mondiger zijn geworden. Als onderdeel van deze trend zijn ouders minder dan vroeger geneigd om te blijven tobben met hun lastige kinderen. Eerder en vasthoudender gaan zij op zoek naar antwoorden en oplossingen. Ook hebben ouders steeds vaker al op internet informatie over ADHD opgezocht of hun licht opgestoken bij ouderverenigingen, voordat ze met hun drukke kind bij de dokter komen. Ouders verschijnen dus assertiever, met meer kennis van zaken en met duidelijker oogmerken op het spreekuur van artsen. Dit heeft, zo wordt algemeen verondersteld, bijgedragen aan de stijging van het aantal kinderen met de diagnose ADHD en van het gebruik van methylfenidaat.[25]

Onderhandelingshuishouding, grenzeloze opvoeding of 'hyperparenting'?

De sociologe Brancaccio plaatst de assertievere opstelling van ouders tegenover artsen in het kader van een breder ontwikkeling: de informalisering in
de sociale verhoudingen. Deze ontwikkeling heeft volgens haar ook weerslag gehad op de relaties binnen gezinnen en op scholen. Kinderen zeggen
bijvoorbeeld zelden meer 'u' tegen hun ouders en spreken hun onderwijzers
vaak aan met de voornaam. Op school, maar vooral in gezinnen deed zich in
sociologisch jargon een verschuiving voor van 'bevelshuishouding' naar 'onderhandelingshuishouding'. Ouders kunnen kinderen daardoor niet meer
eenvoudigweg op basis van hun ouderlijk gezag gedragsregels opleggen,
maar moeten proberen hen met argumenten te overtuigen. Het is daardoor
moeilijk voor hen om kinderen die zich misdragen te corrigeren. Ouders
krijgen hierdoor volgens Brancaccio te maken met een 'managementprobleem', waarvoor ze steeds vaker de oplossing zoeken in medische hoek, met
een stijging van het aantal ADHD-diagnosen tot gevolg.[26]

Een recent rapport van het onderzoeksbureau Motivaction sluit hierop
aan. De onderzoekers Lampert en Spangenberg betogen daarin op een
nogal generaliserende en dramatiserende manier, dat de grenzeloze, anti-
autoritaire opvoedingsstijl van veel ouders ernstige gevolgen heeft. Tieners
en jongvolwassenen vormen, stellen zij, een 'sociale tijdbom'. De jeugd van
tegenwoordig zou hedonistisch en narcistisch zijn, gericht op uiterlijk en
snel vermaak, niet geïnteresseerd in het milieu of ethische kwesties. Deze
'grenzeloze generatie' ervaart volgens Lampert en Spangenberg vaker boos-
heid, irritatie en verveling, 40% van hen zit door bijvoorbeeld schooluitval,
comazuipen, blowen en geweldddadigheid in ernstige problemen.[27] Zij leggen geen direct verband met de ADHD-epidemie, maar die link ligt wel
voor de hand. Een toename van *gedragsproblemen* bij kinderen en jongeren,
veroorzaakt door een 'grenzeloze' opvoeding, zal in de regel ook bijdragen
aan een toename van het aantal gediagnosticeerde *gedragsstoornissen*.

Overigens is het onderzoek van Lampert en Spangenberg terecht onderwerp van veel kritiek geweest. Hun rapport wordt hier slechts genoemd
als voorbeeld van een meer algemeen levend idee dat veel moeilijkheden
met kinderen en jongeren het gevolg zijn van de moderne opvoedingsstijl.
Die wordt daarbij heel verschillend geduid. Waar Lampert en Spangenberg,
maar ook anderen, vinden dat kinderen te vrij worden opgevoed, menen anderen min of meer het tegenovergestelde. Volgens hen is sprake van *hyperparenting*: ouders zouden veel te veel bovenop hun kinderen zitten, nauwlet-

tend in de gaten houden of ze zich wel goed ontwikkelen, en op overdreven wijze onderwijzers, opvangleidsters en trainers van de sportclub instrueren hoe die met hun kroost moeten omgaan. Hierdoor zou onder andere een probleemcultuur in de opvoeding zijn ontstaan: zodra iets niet helemaal gaat volgens de irreëel hoge verwachtingen die ouders zowel van hun kinderen als van zichzelf als opvoeders hebben, ervaren zij dat als een probleem waarvoor deskundige hulp moet worden ingeroepen. Kinderen die zich niet altijd voorbeeldig gedragen en het op school niet zo goed doen als ouders zich hadden voorgesteld, zouden hierdoor bijvoorbeeld te snel en te vaak meegesleept worden naar de dokter en zo de diagnose ADHD krijgen. De notie van *hyperparenting* sluit aan bij de eerdergenoemde opvatting dat in de huidige maatschappij alles draait om de maakbaarheid van het individu en daardoor (te) hoge eisen aan kinderen worden gesteld.[28]

Weer Samen Naar School

Verschillende auteurs betogen dat de moderne opvoedingsstijl niet alleen thuis, maar ook op school heeft geleid tot een toename aan management-problemen. Daarnaast zouden een aantal specifieke ontwikkelingen op het gebied van onderwijs een kwalijke rol hebben gespeeld. Dat geldt bijvoorbeeld voor het *Weer Samen Naar School*-beleid dat de Nederlandse regering vanaf 1990 is gaan voeren. Het aantal plaatsen op het speciaal onderwijs werd verminderd en een groter aantal kinderen met leer- en gedragsmoeilijkheden kwam op normale scholen terecht, zij het met extra ondersteuning. Het aantal zorgenkinderen op reguliere scholen nam zo toe en daarmee ook de aandacht van leerkrachten voor hun behoeften. Bovendien werd de extra ondersteuning (het zogenaamde *rugzakje*) pas toegewezen op basis van diagnose- en indicatiestelling. Het verkrijgen van een diagnose diende daardoor een duidelijk (financieel) belang. Dit beleid wordt in de literatuur nadrukkelijk in verband gebracht met de snelle opmars van ADHD, maar ook van andere stoornissen, zoals stoornissen binnen het autismespectrum, dyslexie, dyscalculie en hechtingsstoornissen. Critici menen daarnaast dat zowel normale kinderen als zorgenkindjes de dupe zijn. Kinderen met leer- en gedragsproblemen zouden, ondanks het rugzakje, niet op hun plaats zijn in de reguliere klas en zich daardoor niet goed ontwikkelen. Dat vergt zoveel aandacht en moeite van de leerkracht, dat deze minder zou toekomen aan het gewone onderwijs aan de overige leerlingen. Dergelijke moeilijkheden op school zijn volgens sociologen hét recept voor medicalisering.[29]

Feminisering en benadeling van jongens in het onderwijs

De laatste jaren is er ook veel aandacht voor de zogenaamde feminisering van het onderwijs. Daarmee wordt gedoeld op het onevenredige en groeiende aantal vrouwelijke onderwijzers en leraren. Hierdoor missen jongens op school steeds vaker een mannelijk identificatieobject. Dat kan volgens deskundigen hun ontwikkeling schaden en tot gedragsproblemen leiden. Ook zouden onderwijzeressen het 'normale' drukke, beweeglijke gedrag van veel jongens uit hun klas minder goed begrijpen of aanvoelen dan hun mannelijke collega's. Zij zouden daarom ook minder goed met deze leerlingen overweg kunnen en hen eerder als lastig en afwijkend ervaren. Daardoor zouden jongens ook sneller in de medische molen komen en het stempel ADHD krijgen. Op deze manier verklaart men behalve de epidemische ontwikkeling van ADHD, (deels) de onevenredige verhouding (ongeveer 4:1) tussen het aantal jongens en het aantal meisjes met deze diagnose.[30]

Ook los van de feminisering, lijkt het onderwijs meer afgestemd te zijn op meisjes dan op jongens. Recentelijk is er veel over te doen dat jongens vooral op de middelbare school slechter presteren dan meisjes. Volgens sommige onderzoekers ligt dat vooral aan de rolbevestigende opvoeding: 'Meisjes worden gestimuleerd om braaf thuis te zitten, om te lezen bijvoorbeeld [...], jongens horen stoer te doen, buiten te spelen, in bomen te klimmen', zegt een Groningse wetenschapper in dagblad *Trouw*. Anderen wijzen vooral op verschillen in de hersenontwikkeling tussen jongens en meisjes. Hoe dan ook, tot in de Tweede Kamer wordt de vraag gesteld of er in het onderwijs geen andere lesmethoden of betere begeleiding voor jongens moeten komen, zodat zij niet langer achter hoeven te blijven bij meisjes.[31]

Kanttekeningen bij het medicaliseringsconcept

De medicaliseringsliteratuur levert nuttige inzichten op, bijvoorbeeld dat een diagnose als ADHD altijd meer is dan het vaststellen van een al dan niet organische afwijking. Allerlei sociale processen en belangen spelen op zijn minst óók een rol. Zo is er duidelijk een link tussen ontwikkelingen in het onderwijs enerzijds en de geschiedenis van ADHD en voorlopers anderzijds. De problemen in de schoolklas hebben altijd prominent gefigureerd in de vakliteratuur over deze stoornissen. De moeilijkheden en achterblijvende prestaties maakten vaak voor het eerst duidelijk dat er iets mis was met het kind en die vormden ook de belangrijkste aanleiding om professionele hulp te zoeken. In het diagnostische proces dat daarop volgde speelde de informatie en mening van onderwijzers een cruciale rol. Er is daarom alle reden om factoren als de situatie in scholen, ontwikkelingen op het gebied van onderwijs en de taakopvatting van leerkrachten een belangrijke plaats te geven in de geschiedschrijving van ADHD.

Op vergelijkbare wijze roepen medicaliseringstheorieën zinvolle en dwingende vragen op over bijvoorbeeld de toepasbaarheid van het medische ziektemodel bij gedragsstoornissen, de macht en belangen van de farmaceutische industrie en de effecten van op kostenbesparing gericht overheidsbeleid.

Er zijn echter ook een aantal kanttekeningen te plaatsen bij de, meestal sociologische, studies waarin het medicaliseringsperspectief wordt gehanteerd. Van veel interessante, op zichzelf niet onaannemelijke redeneringen over bijvoorbeeld de rol van verschuivende verhoudingen tussen sociale klassen en veranderingen in het onderwijs is het moeilijk gebleken om deze empirisch te toetsen. Het blijft mede daardoor bij wel erg algemene en schematische betogen, waarbij allerlei verbanden erg gemakkelijk gelegd en onvoldoende geproblematiseerd worden.

Al is het bijvoorbeeld plausibel dat veranderingen op het gebied van het onderwijs een belangrijke factor waren in de geschiedenis van ADHD, het medicaliserende effect van de invoering van de leerplicht in 1901 wordt schromelijk overdreven. Het duurde immers tot na de Tweede Wereldoorlog voordat psychiaters en andere hulpverleners op grote schaal kinderen met ADHD-achtige gedragsproblemen in behandeling kregen. Bovendien gaat alle aandacht in de sociologische literatuur eenzijdig uit naar de managementproblemen die onderwijzers kregen als gevolg van de leerplicht. Daarbij wordt volledig voorbijgegaan aan een kwestie die in de eerste decennia van de twintigste eeuw de gemoederen veel meer bezighield: de vermeende 'geestelijke overlading' waar veel kinderen onder te lijden hadden, doordat ze veel te jong naar school gingen, waar ze bovendien blootgesteld werden aan een 'eenzijdige intellectuele overbelasting'. Tevens is dubieus dat een aantal sociologen de medicalisering van afwijkend gedrag bij kinderen opvat als een 'proces van samenwerking en wederzijdse legitimatie van school en psychiatrie'. De belangen en zienswijzen van onderwijzers en psychiaters lagen namelijk lang niet altijd in elkaars verlengde.

Twijfelachtig is ook de grote rol die wordt toegeschreven aan de progressieve opvoedingsidealen en -methoden van de jaren zestig en later. Doordat de ouderwetse tucht- en strafmaatregelen niet meer acceptabel waren, zouden ouders en leerkrachten de middelen verloren hebben waarmee ze lastige kinderen konden disciplineren. Deze redenering gaat echter niet op, omdat in de literatuur tussen 1890 en 1960 keer op keer werd gesteld dat diezelfde tucht- en strafmaatregelen niet werkten bij moreel-ethisch defecte, zenuwachtige, ongedurige of nerveuze kinderen. Ook voor ADHD-kinderen geldt vaak dat strenge opvoedkundige maatregelen weinig indruk maken of niet beklijven (wat mogelijk te maken heeft met hun slechte aandachtsconcentratie). Door hun impulsiviteit en ongeremdheid handelen deze kinderen bovendien vaak zonder eerst over de consequenties na te denken.

Een laatste voorbeeld betreft de toepassing van methylfenidaat sinds de jaren negentig. Dat zou in het belang zijn geweest van psychiaters en andere medici, omdat concurrerende niet-medische beroepsgroepen, zoals psychologen, psychotherapeuten en orthopedagogen, geen medicijnen mochten voorschrijven. Zonder letterlijk te stellen dat kinderpsychiaters om die reden massaal kinderen met Ritalin® gingen behandelen, wordt door sommige auteurs wel de suggestie gewekt dat dit een rol heeft gespeeld. Daarbij wijzen ze op de sterke positie die kinderpsychiaters als ADHD-deskundigen bij uitstek de laatste vijftien jaar hebben verworven. Deze auteurs laten echter ten onrechte buiten beschouwing dat Ritalin® al sinds het midden van de jaren vijftig op de markt was. Kinderpsychiaters maakten zich toen al zorgen over de concurrentie van niet-medische, aanpalende disciplines. Toch pasten zij niet op grote schaal farmacotherapie toe. Blijkbaar zijn niet alleen hun belangen bepalend voor hun handelingen, er spelen op zijn minst ook andere factoren mee.[32]

Dit laatste voorbeeld toont aan dat de medicaliseringsliteratuur iets reductionistisch heeft. De interactie tussen medici, ouders en leerkrachten wordt voorgesteld als een onderhandelingsproces, waarbij de betrokken partijen vooral hun eigen belang najagen. Het lijkt daarbij soms alsof professionele hulpverleners slechts streven naar uitbreiding van hun jurisdictie, leerkrachten alleen maar van hun managementproblemen af willen en ouders louter de schuldvraag willen ontlopen.

Nature vs. nurture

Tot slot moet nog één aspect van medicalisering besproken worden. In hoofdstuk 1 is betoogd dat medicalisering niet alleen betrekking heeft op de uitbreiding van het domein van de medische beroepsgroep, maar ook op een toegenomen neiging om gedragsproblemen toe te schrijven aan een biologische oorzaak. Volgens critici overheerst in de geestelijke gezondheidszorg sinds enkele decennia de neiging om psychische stoornissen uitsluitend toe te schrijven aan een genetisch defect in de hersenen, met als gevolg een eenzijdige voorkeur voor behandeling met medicijnen. Mede hierdoor zou ook ADHD als 'hersenziekte' en het gebruik van methylfenidaat een hoge vlucht hebben genomen. Sociale en maatschappelijke oorzaken van gedragsproblemen zijn volgens verschillende commentatoren hierdoor uit het zicht verdwenen. Tevens vrezen zij dat de populariteit van ADHD-geneesmiddelen ten koste gaat van psychosociale interventies. Omdat die interventies in de regel meer geld en moeite kosten, zou medicatie ook ten onrechte als substituut worden gebruikt. Doordat veel wetenschappelijk onderzoek betaald wordt door de farmaceutische industrie, krijgen andere benaderingen dan de biologische en farmacologische volgens hen überhaupt nauwelijks een kans.[33]

Er zijn inderdaad kritische vragen te stellen bij de biologisch getinte benadering van ADHD. Om te beginnen zijn er gerede twijfels over de validiteit en vooral de grenzen van ADHD als diagnostische categorie. Verder is het bedenkelijk dat veruit het grootste researchbudget bestemd is voor hersen- of medicijnenonderzoek. Voor studies met een andere invalshoek zijn bijna geen fondsen beschikbaar. Recentelijk kon ondanks zeer veelbelovende resultaten in een pilotstudie, geen financiering gevonden worden voor een Nijmeegs onderzoek naar de effectiviteit van een bepaald dieet bij ADHD. Pas toen hierover een kleine media-rel was geschopt, ging er een geldkraan open.[34] Tevens is het op zijn plaats om te wijzen op het risico dat gedragsmoeilijkheden te snel worden opgevat als medisch probleem van het individuele kind. Vooral het sterke verband dat in de geschiedenis voortdurend heeft bestaan tussen ADHD en voorlopers enerzijds, en de school anderzijds, noopt om ook de sociale situatie waarin de moeilijkheden zich voordoen onder de loep te nemen. Dat is niet alleen van belang voor individuele gevallen, maar ook in algemene, maatschappelijke en politieke zin. Het debat van een eeuw geleden over de 'geestelijke overlading' van schoolkinderen kan daarbij als inspiratie dienen. Tegenwoordig is het een vanzelfsprekendheid geworden dat de schoolgang onderdeel is van de kindertijd. Toentertijd was men zich er nog van bewust dat de school niet per definitie de meest natuurlijke of optimale omgeving was voor de gezonde ontwikkeling van het kind.

Kortom: het is van belang dat er een zeker evenwicht tussen een gerichtheid op 'nature' en op 'nurture' bewaard blijft. Tegenwoordig lijkt het accent wat veel aan de kant van 'nature' te liggen, maar over het algemeen zijn behandelaars niet zo eenzijdig als critici denken. In de afgelopen hoofdstukken is gebleken dat eigenlijk iedere generatie kinderpsychiaters tot de conclusie kwam dat een *combinatie van aanleg en milieufactoren* ten grondslag lag aan de gedragsproblemen van kinderen. Dit is een opmerkelijke bevinding, omdat de geschiedenis van ADHD en die van de (kinder-)psychiatrie vaak wordt voorgesteld als een soort pendelbeweging tussen een biologische ('nature') en een psychosociale ('nurture') oriëntatie. Volgens deze opvatting lag het accent rond 1900 volledig op 'nature', deed zich na de Eerste Wereldoorlog een kentering voor waardoor de 'nurture'benadering ging domineren. Vanaf de jaren zestig deed zich een hevige strijd voor tussen deze twee richtingen, die tijdens de paradigmawisseling vanaf 1980 is gewonnen door het 'nature'-kamp.

In dit boek is van deze voorstelling van zaken echter weinig overeind gebleven. In hoofdstuk 2 bleek dat rond 1900 erfelijkhcidsdenken heel goed kon samen gaan met sociaal activisme. In hoofdstuk 3 kwam naar voren dat de kinderpsychiaters en andere hulpverleners tussen 1930 en 1960 veel minder eenzijdig psychoanalytisch dachten en handelden dan vaak wordt voorgesteld. Er was ook oog voor de organische oorzaken van stoornissen, zodat ouders niet per definitie de schuld kregen. De hele periode tussen circa 1890 en 1960 wordt gekenmerkt door een opvallende continuïteit, vooral ten aanzien van ziekteconcepten als zenuwachtigheid en nervositas. De belangrijkste verandering in deze periode was niet een pendelbeweging van een biologische naar een psychologische oriëntatie, maar de totstandkoming van een daadwerkelijke behandelpraktijk voor kinderen met ADHD-achtige verschijnselen. Dit kwam vooral door de uitbreiding van ambulante voorzieningen na de Tweede Wereldoorlog.

In de jaren zestig en zeventig bleken psychoanalytisch ingestelde kinderpsychiaters moeiteloos het neurologische MBD-concept toe te passen. Het beeld dat er tijdens deze decennia een scherpe kloof bestond tussen een 'nature' en een 'nurture' kamp doet te kort aan de veel ingewikkeldere interactie tussen een veelheid aan benaderingen waar sprake van was. Daarna deed zich vanaf de jaren tachtig weliswaar een kentering naar een meer biologische oriëntatie voor, maar de rol van opvoeding, sociale en economische factoren en het belang van psychosociale interventies werden geenszins uit het oog verloren. Volgens de Gezondheidsraad(in 2000) en de multidisci-plinaire richtlijn voor de diagnostiek en behandeling van ADHD (in 2005) moest het hoofddoel van de interventies bij ADHD-patiënten zijn: 'het doorbreken van een negatieve spiraal in de interactie tussen kind en om-geving'. De onderliggende gedachtegang heeft opvallend veel gemeen met oudere opvattingen over de wisselwerking tussen aanleg en omgeving en zelfs met die over secundaire neurotisering. Dit betekent overigens ook dat de oudere kinderpsychiatrische vakliteratuur meer relevantie voor het he-den heeft dan vaak wordt gedacht en dat het nuttig is om kennis te nemen van de geschiedenis van ADHD!

We stuiten hier op misschien wel de belangrijkste rode draad in de ge-schiedenis van ADHD: de telkens terugkerende nadruk op de wederzijde beïnvloeding tussen biologische, psychologische en sociale factoren. Dit impliceert dat we niet uitsluitend te maken hebben met een stoornis in de hersenen van kinderen. Milieufactoren als de situatie in gezinnen, op school en in woonwijken zijn volgens elke generatie kinderpsychiaters van groot belang, niet zozeer als oorzaak van de gedragsproblematiek, maar wel voor de ernst daarvan en de prognose. Anders gezegd: wanneer ADHD-kinderen in de juiste omstandigheden worden geplaatst zullen ze later goed terechtkomen, wanneer ze in een ongunstig milieu opgroeien kan het goed misgaan. Het geeft wat dit betreft te denken dat ADHD niet alleen on-evenredig vaak voorkomt bij jongens, maar ook onder kinderen uit de laag-ste sociaal-economische klasse of met een laag opleidingsniveau. Daarnaast zijn er aanwijzingen dat ontwikkelingen in het onderwijs, zoals het *Weer Samen Naar School* beleid en de vorming van het VMBO, juist de zwakkere leerlingen zoals 'ADHD-ers' geen goed hebben gedaan. Ook de notie dat de samenleving ingewikkelder is geworden en hogere prestatie-eisen stelt aan kinderen, is van belang. Dit kan betekenen dat er inderdaad niet meer gedragsgestoorde kinderen zijn dan vroeger, maar wel dat steeds meer van deze kinderen, ook als ze een tamelijk lichte stoornis hebben, niet meer mee kunnen komen. Kwetsbare kinderen voor wie enkele decennia geleden nog wel een niche te vinden was, lijken steeds vaker buiten de boot te vallen. Niet voor niets kunnen de Bureaus Jeugdzorg de almaar stijgende vraag om hulp niet aan. Zo zijn er redenen te over om de ADHD-epidemie niet louter als een medisch kwestie op te vatten, maar als een ernstig maatschap-pelijk en politiek vraagstuk.[35]

Conclusie

De 4 M'en: voors en tegens

De vier M'en zijn tot op zekere hoogte nuttige invalshoeken gebleken. De spectaculaire ontwikkeling van ADHD heeft trekken van een modeverschijnsel, aangejaagd door media-aandacht en een spiraalwerking tussen diagnose en behandeling. De moderne tijd speelt mogelijk een rol, doordat er in de huidige samenleving veel van kinderen gevraagd wordt, met als gevolg dat de zwakkeren onder hen het steeds moeilijker krijgen. In een aantal opzichten heeft de bemoeienis van medici met drukke kinderen wel degelijk tot medische vooruitgang geleid: de kennis, hoe gebrekkig ook, is toegenomen en individuele kinderen en hun ouders hebben baat gehad bij behandelingen en adviezen. De medicaliseringstheorieën leveren nuttige inzichten op over sociale processen en maatschappelijke factoren die van invloed zijn op de ADHD-epidemie. Zo blijken ADHD en voorlopers als het ware te *ontstaan* in de schoolsituatie, wat gewichtige vragen oproept over onderwijsbeleid. Tevens helpt het medicaliseringsperspectief voorkomen dat de ADHD-epidemie slechts wordt gezien als een medisch probleem, als iets voor de dokter: het is ook een belangrijke maatschappelijke en politieke kwestie.

Er zijn bij alle M'en echter ook kritische kanttekeningen te plaatsen. Is ADHD bijvoorbeeld, gezien de voorgeschiedenis van meer dan een eeuw, wel te beschouwen als een modeverschijnsel? En hoe moeten we over de invloed van de moderne tijd denken, als men het daar honderd jaar geleden ook al over had, bijvoorbeeld met betrekking tot zenuwachtigheid? Verder is de werkelijkheid wat te weerbarstig om zonder meer te spreken van medische vooruitgang. Tevens is het reductionistisch en deels onjuist om de medicalisering van druk gedrag – en dus de ADHD-epidemie – voor te stellen als het resultaat van het najagen van hun gezamenlijke belangen door medici, ouders, onderwijzers, overheid en bedrijfsleven. Bovendien blijkt de medisch-biologische benadering van ADHD minder allesoverheersend dan in de medicaliseringsliteratuur wordt verondersteld. Deskundigen zien wel degelijk het belang van psychosociale factoren en behandelmethoden.

Een vijfde 'M': 'misère'

Al met al leert de geschiedenis dat er geen eenvoudige of eenduidige verklaringen voor de ADHD-epidemie bestaan: De vier M'en zijn allemaal problematisch, zonder dat ze daarmee volledig van tafel zijn geveegd. Om recht te doen aan het, blijkbaar, complexe fenomeen ADHD is het goed om een vijfde M te introduceren: *misère*. De bekende socioloog De Swaan stelt dat deze misère onafhankelijk bestaat van het medicaliseringsproces. Bij medicalisering gaat het namelijk alleen om de herdefiniëring van moeilijkheden tot medisch probleem.[36] Vóór deze herdefiniëring bestonden die moeilijkheden dus al, onafhankelijk van alle sociale processen en belangen die een rol spelen bij de medicalisering. Achter bijvoorbeeld de cijfers van het Ritalingebruik en de mogelijk bedenkelijke rol die media, medici, ouders, onderwijzers en farmaceutische bedrijven spelen, gaat reëel leed schuil van individuele kinderen en hun ouders. Wie betoogt dat het bij ADHD gewoon gaat om normaal, druk jongensgedrag waarmee softe juffen en slappe ouders geen raad weten, bagatelliseert de misère die vaak ten grondslag ligt aan de diagnose ADHD. Ouders, leerkrachten en medici handelen daarnaast niet uitsluitend om de schuldvraag te ontlopen, ordeproblemen op te lossen en hun professionele positie te versterken, maar zullen daarnaast toch ook regelmatig gedreven worden door oprechte zorg voor het kind in nood, hoezeer er ook kritische vragen te stellen zijn bij de medicalisering van deze nood.

Wie oog heeft voor de misère zal de ADHD-epidemie ook niet badinerend reduceren tot een *hype*, al vertoont die trekken van een modeverschijnsel. Evenmin zal deze de spectaculaire toename van het gebruik van geneesmiddelen als Ritalin® terugbrengen tot een complot van de farmaceutische industrie en gecorrumpeerde wetenschappers en behandelaars. Daarvoor wordt de misère van te veel kinderen verlicht door deze medicijnen. Omdat het lang niet altijd goed lukt om de misère weg te nemen, is het ook verstandig om niet lichtvaardig te denken in termen van medische vooruitgang. Zo kan de vijfde M, misère, de al te simplistische redeneringen en verklaringen in het ADHD-debat tegengaan.

NOTENLIJST

Noten hoofdstuk 1

1. Dit hoofdstuk is deels gebaseerd op, deels overgenomen uit: Bolt, 2010.
2. Ten aanzien van de toename van het aantal ADHD-diagnoses gaat het echter niet om deze epidemiologische prevalentie, maar om de administratieve prevalentie: het aantal daadwerkelijk gestelde diagnoses. Daarvan zijn geen cijfers bekend. Wel is de algemene overtuiging dat die sinds midden jaren negentig enorm is gestegen. Indicatie hiervoor is de toename van het gebruik van ADHD-geneesmiddelen, hoewel die deels voortkomt uit een gemiddeld langer gebruik van het middel en niet alleen uit de groei van het aantal behandelde patiënten. Bovendien krijgt niet iedere ADHD-gediagnosticeerde patiënt ook medicatie voorgeschreven (Fliers, Franke, & Buitelaar, 2005, pagina 1726; Gezondheidsraad, 2000, pagina 53, Pieters, Te Hennepe, & De Lange, 2002, pagina's 71-73).
3. Gezondheidsnet.nl, 2010; Gezondheidsraad, 2000, pagina's 74-75; Kiesbeter.nl, 2010; Pieters et al., 2002, pagina's 71-73; Stichting Farmaceutische Kengetallen, 2007 en 2008. Het aantal van 31.000 gebruikers in 1999 is van de Gezondheidsraad, in 2008 noemt de Stichting Farmaceutische Kengetallen dit getal voor het jaar 2002. Vooralsnog ga ik er vanuit dat dit laatste een vergissing is. De laatste jaren is ook een aantal alternatieven voor Ritalin® op de markt gekomen. Zo is methylfenidaat ook beschikbaar in een tabletvorm met gereguleerde afgifte en is in 2005 een geneesmiddel geïntroduceerd met een andere werkzame stof, atomoxetine. Ritalin® blijft wel de meest voorgeschreven variant, omdat die volledig wordt vergoed (Stichting Farmaceutische Kengetallen, 2008).
4. ADHD wordt drie tot vier maal vaker vastgesteld bij jongetjes, zie o.a. Gezondheidsraad, 2000, pagina 39; Klasen & Verhulst, 2005, pagina 1723.
5. Zie o.a. Alger, Bouma, & Teugels, 2008; Bergsma, 2000; Buitelaar, 2001; Donker, Groenhof, & Van der Veen, 2005; Van der Glind, 2008;

Klasen & Verhulst, 2005; Vandereycken, 2006.
6. Van der Gaag, 2003, pagina 6.
7. Zie voor de discussie over ADHD als modediagnose onder andere: Bergsma, 2000; Breuk, 2001, pagina's 15-16; Buitelaar 2001; Nieweg 2006, pagina's 303, 310; Pieters et al., 2002, pagina's 3-4, 78-80; Pieters, 2003, pagina 643.
8. Weeda 2008, zie ook: Alger et al., 2008; Buitelaar, 2000, pagina's 69-71; Dehue, 2008, pagina's 225-262; Van Soest & Wiggers, 2008.
9. Barkley, 2006, pagina's 36-39; Buitelaar, 2001; Brandt-Dominicus, 2005, pagina's 19-21; Van der Glind, 2008; Klasen & Verhulst, 2005; Kooij, 2007; Matthys, 2009, pagina 27.
10. Brancaccio, 1996, pagina 168.
11. Bakker, Noordman, & Rietveld-van Wingerden, 2006, pagina's 222-223; Brancaccio 1996 en 2001; Brancaccio & De Lange, 2001; Conrad, 2006; Groenendijk & Bakker, 2000; Rafalovich, 2004.
12. Alger et al., 2008; Alleen geld voor pillen, 2008; Brancaccio, 2001, pagina's 209-210; Brancaccio & De Lange, 2001; Breuk, 2001, pagina's 16, 25; Conrad, 2006, pagina's 107-108; Dehue, 2008, pagina 47; Fliers et al., 2005, pagina 1726; Van der Glind, 2008.
13. Zie over de pendelbeweging tussen *nature* en *nurture* bijvoorbeeld: Nieweg, 2005; Sadowsky, 2006, pagina's 1-7; De Waardt, 2005, pagina's 26-27, 33-34.
14. Rafalovich, 2004, pagina 21.

Noten hoofdstuk 2

1. Still, 2004 [1902], pagina's 77, 89, 92-96.
2. Barkley 2006, pagina's 3-5; Brancaccio, 2001, pagina's 69-73; Buitelaar, 2000, pagina 64, Rafalovich, 2004, pagina's 27-29; Sandberg & Barton, 2002, pagina's 1-2, 4-5, Schachar, 1986, pagina 19, Verheij & Treffers, 2004, pagina 55.
3. Bouman, [1912], pagina 7.
4. Ibidem., pagina's 4-8 (het citaat staat op pagina 8); zie ook: Idem., [1913], pagina's 2-3.
5. Brancaccio, 2001, pagina's 56-67; Brants, 2004, pagina's 19-21, De Goei, 2001, pagina 27; Rafalovich, 2004, pagina's 22-25; zie ook: Bou-

man, [1912], pagina's 6-8; Idem., [1913], pagina's 1-2; Klootsema, 1904a, pagina's 24-46; Still, 2004 [1902], pagina's 58-70.

6. Still, 2004 [1902], pagina 59; zie ook Rafalovich, 2004, pagina 27.

7. Jelgersma, [1909], pagina's 11-12.

8. Bouman, [1912], pagina's 3,6-7, Idem., [1913], pagina's 6-7; Still, 2004 [1902], pagina's 61-70; Rafalovich, 2004, pagina's 24-29. In de literatuur sprak men toentertijd ook wel van 'paedologisch-achterlijken', zie: P., 1907, pagina 12.

9. De stoornis die zij beschreven was daardoor iets heel anders dan de *moral insanity*, een concept dat in 1833 werd geïntroduceerd door de Britse arts J.C. Prichard die uitging van een geïsoleerde morele krankzinnigheid waar in zijn ogen met name veel misdadigers aan leden. Zie hierover ook: Rafalovich, 2004, pagina's 24-25, 28-29.

10. Bouman, [1912], pagina 11, zie ook pagina 7. Zie hierover ook: Rafalovich, *Framing ADHD children* pagina's 24-25, 28-29.

11. Ibidem., pagina 7, zie ook pagina 11.

12. Ibidem., pagina's 8-13.

13. Zie ook: Noordman, 1989, pagina's 17-18.

14. Bouman, [1912], pagina's 8-13, Idem., [1913], pagina's 2-3, Still, 2004 [1902], pagina's 59-61,

15. Rafalovich, 2004, pagina's 27-29. Zie ook: Still, 2004 [1902], pagina 58.

16. Ibidem., [1912], pagina's 14-16, 20; Idem., [1913].

17. Bakker et al., 2006, pagina 255; Brants, 2004, pagina 22; De Goei, 2001, pagina's 17, 27; Noordman, 1989, pagina's 16-19, 87; Pieters, 2003, pagina 639.

18. Bakker et al., 2006, pagina 191 e.v.; Brants, 2004, pagina's 21-25; De Goei, 2001 pagina's 19-23, 26-27; Noordman, 1989, pagina's 16-19, 87, 256-258; Oosterhuis & Gijswijt-Hofstra, 2008, pagina's 56-64, 211 e.v. Zie voor het buitenland ook: Brancaccio, 2001, pagina's 46-56, Schachar, 1986, pagina's 20-21.

19. Geciteerd in: De Goei, 2001, pagina 26, zie ook: De Waardt, 2005, pagina's 78-81.

20. Tegen deze achtergrond werden in verschillende landen eugenetische bewegingen opgericht, met als doel de kwaliteit van de bevolking actief gunstig te beïnvloeden. In Nederland bleef de eugenistische beweging, zo betoogt Jan Noordman (1986) in zijn dissertatie, een marginaal verschijnsel. In tegenstelling tot in de Verenigde Staten, Groot-Brittannië,

de Scandinavische landen en later Nazi-Duitsland, bleven in Nederland actieve eugenistische maatregelen, zoals sterilisatieprogramma's, uit. Om verschillende redenen was de weerstand tegen een dergelijke actieve politiek groot. Echter, het onderliggende eugenetische *gedachtegoed*, de zorg om de kwaliteit van het nageslacht zoals hierboven geschetst, was wél populair onder Nederlandse artsen en psychiaters (De Goei, 2001).

21. Bakker et al., 2006, pagina's 191 e.v.; Brants, 2004, pagina's 23-25; De Goei, 2001, pagina's 19-23; Noordman,1986, pagina's 256-258; Oosterhuis & Gijswijt-Hofstra, 2008, pagina's 56-64; Pieters, 2003, pagina 639.
22. Brancaccio, 2001, pagina's 71-73; Buitelaar, 2000, pagina 64; Sandberg & Barton, 2002, pagina's 7-8.
23. Abma, 2001; Bakker et al., 191 e.v.; Brancaccio, 2001, pagina's 46-56, 63, 72; Brants, 2004; pagina's 23-25; Conrad, 2006, pagina's 93-99; De Goei, 2001, pagina's 19-23; Oosterhuis & Gijswijt-Hofstra, 2008, pagina's 56-64, 212-213, 244; Vijselaar, 2001, pagina 239.
24. Bouman, [1912], pagina's 5, 18, 22. zie ook: Ibidem., pagina's 16-22; Idem. [1913], pagina's 2-4.
25. Bakker et al., 2006, pagina 406.
26. Ibidem., pagina's 73-77, 217-218, 377-379; De Goei, 2001, pagina's 62-63; Oosterhuis & Gijswijt-Hofstra, pagina's 391-392; Weijers, 2007, pagina's 155-159.
27. Brants, 2004, pagina 26.
28. Bakker et al., 2006, pagina's 222-224, 502; Brancaccio, 2001, pagina's 12-73; Brants, 2004, pagina's 25-29; Kalverboer, 1978, pagina 6; Pieters et al., 2002, pagina's 50-51.
29. Bakker, 1995, pagina's 153-174, 215-225 en 2001, pagina 315; Bakker et al., 2006, pagina's 222, 262, 277-278; Brancaccio, 2001, pagina's 74-89, 91-99. Zie ook: C., 1904; Medicus, 1908; P., 1907; Visscher, 1908.
30. Bouman, [1912], pagina's 3, 16-21 en [1913], pagina 3;
31. Brancaccio, 2001, pagina's 34, 68; Rafalovich, 2004, pagina's 26-28.
32. Bouman, [1912], pagina 17.
33. Zie bijv. Knapper, 1914, pagina's 157-158, 165-166; Schreuder, 1908, pagina's 108-110, 114.
34. Bakker, 1995, pagina's 164-167, 242-243 en 2001, pagina's 314-315.
35. Bakker et al., 2006, pagina 270; Kerkhoven & Vijselaar, 1993, pagina

28. In zijn leerboek over functionele neurosen schreef Jelgersma (1898, pagina's 175-176) in dit verband: 'Dat neurasthenie dus een ziektebeeld is, waarin men alles, waar men geen weg mee weet, in samenbracht, eene bewering die men tot in den laatsten tijd heeft kunnen vernemen, is positief onjuist. Etiologisch, zoowel als symptomatisch, behoort het tot de scherpst omschreven psychische ziekten'. Hij heeft echter ruim 100 pagina's nodig om de symptomatologie van neurasthenie te beschrijven.

36. Klootsema, 1904, pagina 99.

37. Knapper, 1914, pagina's 157-158, 165-166; Schreuder, 1908, pagina's 108-110, 114; Bakker, 1995, pagina's 242-244 en 2001, pagina's 318, 323.

38. Gijswijt-Hofstra, 2001, pagina's 1-2, 20; De Goei, 2001, pagina's 24-25; Killen, 2006, pagina's 50-52; Roelcke, 1999, pagina's 112-121; Rosenberg, 1962, pagina's 245-259; Vijselaar, 2007, pagina's 11-15.

39. Killen, 2006, pagina's 57-62; Radkau, 1998; Roelcke, 1999, pagina's 112-121; Rosenberg, 1962.

40. Gijswijt-Hofstra, 2001, pagina's 21, 26-27; Killen, 2006, pagina's 71-80; Oosterhuis & Gijswijt-Hofstra, 2008, pagina's 180-185; Rosenberg, 1962, pagina 257; Slijkhuis, 2001, pagina's 258, 269-274. Zie ook en vergelijk: Jelgersma, 1898, 34-37; Erp Taalman Kip, 1912, pagina 51 e.v.

41. Gijswijt-Hofstra, 2001, pagina's 20-21; Roelcke, 1999, pagina's 133-137 en 2001, pagina's 188-191; Rosenberg, 1962, pagina's 255-257. Zie ook: Jelgersma, 1898, pagina's 10-12, 31-32.

42. Erp Taalman Kip, 1912, pagina's 30-32; Gijswijt-Hofstra, 2001, pagina's 23-24; Kerkhoven & Vijselaar, 1993, pagina 28; De Goei, 2001, pagina's 25-26; Jelgersma, 1907 en 1898, pagina's 18-24, 34; Klootsema, 1904; pagina's 100-103; Rosenberg, 1962, pagina's 254-255; Vos, 2007, pagina's 100-101.

43. Gijswijt-Hofstra, 2001, pagina 24; Kerkhoven & Vijselaar, 1993, pagina 30; Slijkhuis, 2001, pagina 265; Abma & Weijers, 2005, pagina 58; Blok, 1908, pagina's 69-70, 77-78, 86-87, 95-96, 103, Bouman, 1929, pagina 9; De Goei, 2001, pagina 25; Jelgersma, 1898, pagina's 19, 34; Jelgersma, 1897, pagina's 188-189; Idem.,1907; De Waardt, 2005, pagina's 83-85.

44. Erp Taalman Kip, 1912, pagina's 30-33, 43; Gijswijt-Hofstra, 2001, pagina's 23, 26; De Goei, 2001, pagina 25; Jelgersma, 1898, pagina's 22-

24, Rosenberg, 1962, pagina's 254-256, Slijkhuis, 2001, pagina's 266-268.

45. Gijswijt, 2001, pagina 23; De Goei, 2001, pagina's 25-26; Jelgersma, 1898, pagina's 33-34; Rosenberg, 1962, pagina's 254-256; Te Velde, 1989.

46. Bakker, 2001, pagina 310; Brancaccio, 2001, pagina 91; Gijswijt-Hofstra, 2001, pagina 24; Jelgersma, 1898.

47. Abma & Weijers, 2005, pagina 40; Bakker, 2001, pagina's 310-313; De Goei, 2001, pagina's 23-25; Jelgersma, 1907 en 1898, pagina's 3-4, 15, 21; Kerkhoven & Vijselaar, 1993, pagina 29; Klootsema, 1904, pagina 99; Knapper, 1914, pagina's 130-131,149-152; Noordman, 1989, pagina 87; Oosterhuis & Gijswijt-Hofstra, 2008, pagina 163 e.v., 213; Schreuder, 1908, pagina 109, Slijkhuis, 2001, pagina's 257-274; Vos, 2007, pagina 100; Weijers, 2007, pagina 154. In deze context publiceerde Jelgersma in 1897 zijn invloedrijke *Leerboek der functioneele neurosen.* Zie ook het leerboek uit 1912 van Erp Taalman Kip, *De behandeling van functioneele neurosen.*

48. Zie bijv. Bakker, 2001, pagina 313; Jelgersma,1898, pagina 8 e.v. Zie verder vorige noot.

49. Jelgersma, 1898, pagina 13 e.v.; Klootsema, 1904, pagina's 99-100; Knapper, 1914, pagina's 130-131, 149-152; Schreuder, 1908, pagina 114.

50. Knapper, 1914, pagina 157.

51. Schreuder, 1908, pagina 114. Zie ook: Jelgersma,1898, pagina's 24-25.

52. Schreuder, 1908, pagina 114, zie ook pagina 113. Zie verder: Jelgersma, 1898, pagina's 25-27; Klootsema, 1904, pagina 102; Knapper, 1914, pagina's 156-157.

53. Zie onder andere Bakker, 2001, pagina's 311-313; Vijselaar, 2001, pagina's 239, 252.

54. Jelgersma, 1907, pagina 146.

55. Ibidem.; zie ook: Bakker, 2001, pagina 316; Erp Taalman Kip, 1912, pagina's 117-121; Cox, 1904, pagina 16; Gunning 1907, pagina's 154-155; Hierta-Rezius, 1908; Jelgersma, 1898, pagina's 39-40; Medicus, 1908.

56. Bakker, 1995, pagina 165 en 2001, pagina 137; Bakker et al., 2006, pagina's 61-72, 505-519; Brancaccio, 2001, pagina's 91-92; Cox, 1904; Erp Taalman Kip, 1912, pagina's 117-121; Gunning, 1907; Gunning et

al., 2007; Hierta-Rezius, 1908, Jelgersma, 1898, pagina's 39-43; Kloot-sema, 1904; Knapper, 1914, pagina's 165-166; Medicus, 1908; P., 1907.

57. Abma & Weijers, 2005; pagina 50; Jelgersma, 1898, pagina's 145-146; Kerkhoven & Vijselaar, 1993, pagina 30; Klootsema, 1904; pagina's 101-103; Vos, 2007, pagina's 95, 100-109.

Noten hoofdstuk 3

1. Dit hoofdstuk is deels gebaseerd op: Bolt & De Goei, 2008, pagina's 1, 12-18, 21, 28-37. Enkele fragmenten zijn daar ook uit overgenomen.
2. Carp, 1932, pagina's 88-89. Zie ook: Nieweg, 2006, pagina 306.
3. Bakker, 1998 en 2003; De Goei, 2007.
4. Carp, 1932, m.n. pagina's 1-21.
5. Bakker ontleende dit begrip aan: Van Lieshout, 1993.
6. Bakker, 1995, pagina's 167-168, 243-244 en 2001, pagina's 318-320; Bakker et al., 2006, pagina's 279-281.
7. Bakker, 1995, pagina's 243-244; Idem., 1998; Idem., 2001, pagina's 318-323; Idem., 2003, pagina's 127-148; Bakker et al., 2006, pagina's 279-287, Bolt & De Goei, 2008, pagina's 17-18; Groenendijk & Bakker, 2000; Pieters et al., pagina's 52-53.
8. Barkley, 2006, pagina's 5-9; Brancaccaio, 2001, pagina's 74-75, 135-137; Kessler, 1980, pagina's 18-25, 33-34; Pieters, 2003, pagina's 638-640; Pieters et al., 2002, pagina's 52-54, Sandberg & Barton, 2002, pagina's 9-14; Schachar, 1986, pagina's 24-29.
9. Chorus, 1940, pagina's 5-6. Zie ook: Van Krevelen, 1952, pagina's 329-335.
10. Chorus, 1940, pagina's 22-27. Zie ook: Carp, 1932, pagina's 88-89; Van Krevelen, 1952, pagina 330.
11. Krevelen, 1952, pagina 331. Zie ook: Carp, 1934, pagina 75; Chorus, 1940, pagina 9.
12. Chorus, 1940, pagina's 4-17; Van Krevelen, 1952, pagina's 329-331; Nyssen, 1942, pagina's 380-388; Rümke, 1933, pagina's 277-282.
13. Carp, 1934, pagina 75. Zie ook: Nieweg, 2006, pagina 306.
14. Carp, 1932, pagina's 88-89 en 1934, pagina 75; Chorus, 1940, pagina 6; Van Krevelen, 1952, pagina 329, Nieweg, 2006, pagina 306; Nyssen, 1942, pagina's 380-388 (zie voor Franse invloed vooral pagina 381).

15. Van Krevelen, 1952, pagina's 329-334. Zie ook: Carp, 1932, pagina's 88-90 en 1934, pagina 75; Chorus, 1940, pagina's 4, 25; Nyssen, 1942, pagina's 381-383.

16. Van Krevelen, 1952, pagina 329.

17. Bolt & De Goei, 2008, pagina's 19-23; Carp, 1932, pagina's 88-90 en 1934, pagina 75; Chorus, 1940, pagina's 4-5, 25; Nyssen, 1942, pagina 383.

18. Vedder, 1938, pagina's 22-23.

19. Van Aalderen, 1966, pagina's 24-26; Frets-van Buuren, 1957, pagina's 92-103, Th. Hart de Ruyter, 1953, pagina 7 en 1956, pagina 12; Hart de Ruyter & Kamp, 1972, pagina's 75-76; Nyssen, 1942, pagina's 353-358, 380-388; Rümke & Hart de Ruyter, 1960, pagina's 7-11, 14-17, 40; Rümke, 1933, pagina's 278-279, 287; Idem., 1969, pagina 279; Vedder, 1938, pagina's 23-27 en 1958, pagina's 71, 75-78. Zie ook: Nieweg, 2006, pagina's 305-306.

20. Zie voor een analyse van de betekenis van de termen neuropathie en nervositas: Frets-van Buuren, 1957, pagina's 92-103. Bakker (2001, pagina's 309-310) stelt dat de diagnose neurasthenie, die na 1920 bij volwassenen begon te verdwijnen, bij kinderen als het ware een tweede leven kreeg, waarbij de term 'nerveus' geleidelijkerwijs de term 'neurasthenie verving; zie over de vergelijkbaarheid van genoemde begrippen ook: Nieweg, 2006, pagina's 305-306.

21. Hart de Ruyter, 1956, pagina 12.

22. Vergelijk het werk uit de jaren dertig en veertig van H.C. Rümke, R. Vedder, R. Nyssen en P.H.C. Tibout met dat uit de jaren vijftig en zestig van J.J. Frets-van Buuren, H.J. van Aalderen, Th. Hart de Ruyter, C. Rümke en opnieuw H.C. Rümke en R. Vedder.

23. Frets-van Buuren, 1957, pagina's 92-103, Hart de Ruyter, 1953, pagina 7; Hart de Ruyter & Kamp, 1972, pagina 75; Nyssen, 1942, pagina 356; Rümke & Hart de Ruyter, 1960, pagina's 8-11; Rümke, 1933, pagina's 298, 306; Idem., 1969, pagina's 279-280; Tibout, 1950, pagina 152; Vedder, 1958, pagina's 71-73, 76.

24. Van Krevelen, 1952, pagina 329.

25. Ibidem.

26. Van Aalderen, 1966, pagina 134; Frets-van Buuren, 1957, pagina's 93-95; Hart de Ruyter, 1953, pagina 7; Nyssen, 1942, pagina's 354, 383; Rümke & Hart de Ruyter, 1960, pagina 33; Vedder, 1938, pagina's 26-

27 en 1958, pagina 78. Zie ook: Nieweg, 2006, pagina 307.

27. Vedder, 1938, pagina 27.
28. Frets-van Buuren, 1957, pagina's 93-94.
29. Van Aalderen, 1966, pagina's 7-8; Chorus, 1940, pagina 25; Hart de Ruyter, 1953, pagina's 6-8, Nieweg, 2006, pagina 308; Nyssen, 1942, pagina 354; Rümke & Hart de Ruyter, 1960, pagina's 12-14; Vedder, 1938, pagina 26 en 1958, pagina 76.
30. Carp, 1934, pagina 90; Chorus, 1940, pagina 25; Van Krevelen, 1952, pagina's 332-334; Nyssen, 1942, pagina's 384-386; Rümke & Hart de Ruyter, 1960, pagina's 12-14, 39; Vedder, 1958, pagina's 74,78.
31. Rümke & Hart de Ruyter,1960, pagina 31, zie ook pagina's 32-39. Zie ook: Vedder, 1938, pagina's 23-27 en 1958, pagina's 66-67.
32. Rümke & Hart de Ruyter, 1960, pagina's 17-24. Verder duikt bij Frets-van Buuren (1957, pagina 116) één keer het 'oedipale conflict' op. In de overige bestudeerde literatuur ontbreekt het 'analytische jargon'.
33. Brancaccio, 2001, pagina's 74-75 (zie ook: pagina's 103-165). 'Relatief laat' is hier: vanaf de jaren 1950.
34. Zie o.a. Haenen, 1956, pagina 48; Rümke & Hart de Ruyter, pagina's 29-40; Vedder, 1958, pagina's 74-75.
35. Rümke & Hart de Ruyter, 1960, pagina's 15-16.
36. Bakker et al., 2006, pagina's 284-286; Van Krevelen, 1952, pagina 334; Nyssen, 1942, pagina 357; Rümke & Hart de Ruyter, 1960, pagina's 36-38; Rümke, 1933, pagina 287; Vedder, 1938, pagina's 26-27 en 1958, pagina's 77-78.
37. Chorus, 1940, pagina's 180-181; Van Krevelen, 1952, pagina 334; Vedder, 1958, pagina 79.
38. Bakker, 2001, pagina's 320-323; Bakker et al., *Vijf eeuwen*, pagina 277; Van Krevelen, 1952, pagina's 332, 334; Nyssen, 1942, pagina 357; Rümke & Hart de Ruyter, 1960, pagina's 31-32.
39. Nyssen, 1942, pagina's 357, 387-388; Vedder, 1938, pagina 27.
40. Vedder, 1938, pagina 27.
41. Zie over Bowlby's 'vrijzinnigheid': Bolt & De Goei, 2008, pagina's 45, 48.
42. Bolt & De Goei, 2008, pagina's 21, 45; Oosterhuis & Gijswijt-Hofstra, 2008, pagina's 462, 693.
43. Buitelaar, 2000, pagina's 66-68; Rümke, 1933, pagina 287. Zie over medicijngebruik ook: Nyssen, 1942, pagina 357.

44. Buitelaar, 2000, pagina 68.
45. De Goei, 2001, pagina's 70-77.
46. Bakker et al., 2006, pagina's 281-283; Bolt & De Goei, 2008, pagina's 17-18; De Goei, 2001, pagina 227; Oosterhuis & Gijswijt-Hofstra, 2008, pagina's 446-447, 629 e.v.
47. Bakker et al., 2006, pagina's 237-238; De Goei, 2001, pagina 143 e.v.; Oosterhuis & Gijswijt-Hofstra, 2008, pagina's 625, 629-644, 657-658.
48. Zie vorige noot.
49. Bolt & De Goei, 2008, pagina 16; De Goei, 2001, pagina 60 e.v.
50. Bolt & De Goei, 2008, pagina 16; Bakker, 2002; Oosterhuis & Gijswijt-Hofstra, 2008, pagina's 461-462, 657-658, 684-692; Van der Wurff, 1990.
51. Zie ook: Oosterhuis & Gijswijt-Hofstra, 2008, pagina 658. Zie voor de aanmelding van deze kinderen op het MOB: Bakker, 2001, pagina 322; Vedder, 1938, pagina 22; Van der Wurff, 1990.
52. Carp, 1934, pagina 90; Chorus, 1940, pagina 25, zie ook de soms moralistische ondertoon in zijn beschrijving van de 'ongedurige' proefpersonen: pagina's 42-57, Van Krevelen, 1952, pagina's 332-334; Nyssen, 1942, pagina's 384-386; Rümke & Hart de Ruyter, 1960, pagina's 12-14, 39; Vedder, 1958, pagina 78.
53. Hart de Ruyter, 1956, pagina 12; Carp, 1934, pagina's 88-90; Nieweg, 2006, pagina 307; Rümke & Hart de Ruyter, 1960, pagina 8; Vedder, 1938, pagina 22.
54. Brancaccio, 1996, pagina's 170-171; Idem., 2001, pagina's 126, 130, 169-187; Conrad, 2006, pagina's 41-49, 89-90, Rafalovich, 2004, pagina's 89-108.
55. Brancaccio,1996, pagina's 170-171 en 2001, pagina's 169-187; Conrad, 2006, pagina's 41-49, 89-90; Rafalovich, 2004, pagina's 89-108.
56. Brancaccio, 1996, pagina 171.
57. Carp, 1932, pagina's 88-90; Chorus, 1940 pagina 23; Van Krevelen, 1952, pagina's 330-332; Nyssen, 1942, pagina's 355, 383-385; Vedder, 1938, pagina 23 en 1958, pagina 23.
58. Chrous, 1940, pagina 8.
59. Van Krevelen, 1952, pagina 334; Nyssen, 1942, pagina 357; Rümke, 1943, pagina's 279, 287, 298; Rümke & Hart de Ruyter, 1960, pagina 30-36; Vedder, 1958, pagina's 77-78; Waterink, 1956.
60. Bakker et al., 2006, pagina 501 e.v.; Kalverboer, 1978, pagina 6; Weijers,

2007, pagina's 73-82, 112-113.

61. Zie over de fundamentele verschillen tussen onderwijzers en psychiaters: Bakker, 2002, pagina 146; Haenen, 1958, pagina's 48-49; Vedder, 1958, pagina's 2, 7-8.
62. Vedder, 1958, pagina 2.
63. Hart de Ruyter, 1973, pagina 12.
64. Zie bijvoorbeeld Sanders-Woudstra, 1976, pagina 7; Waterink, 1956.

Noten hoofdstuk 4

1. Dit hoofdstuk is deels gebaseerd op: Bolt en De Goei, 2008, pagina's 44-51, 58-71, 87. Enkele fragmenten zijn hieruit overgenomen.
2. Brancaccio, 2001, pagina's 200-204; Kessler, 1980, 20-24; Sandberg & Barton, 2002, pagina 17.
3. Bolt & De Goei, 2008, pagina 41 ev.; De Goei, 1992, pagina's 90-94, Oosterhuis & Gijswijt-Hofstra, 2008, pagina's 461-462, 684-692, 758-759, 775-78.
4. Brancaccio, 2001, pagina's 153, 161, 164-165, 168-169.
5. Abma & Weijers, 2005, 236; Blok, 2004, 150, 165; Oosterhuis & Gijswijt-Hofstra, 2008, pagina's 797-800, 965-968, 971-974; De Swaan, 1979, pagina's 10-25.
6. Kessler, 1980, pagina's 25, 33, 41-42; Sandberg & Barton, 2002, pagina 17; Brancaccio, 2001, pagina's 188-190, 200-202, 206-209; Rafalovich, 2004, pagina's 35-36, 179-180.
7. Deze hele paragraaf is gebaseerd op: Barkley, 2006, pagina's 8-9; Brancaccio, 1996, pagina 165; Brancaccio, 2001, pagina's 8, 192-193, 202-205; Gezondheidsraad, 1985, pagina's 2-8, 32-38, 43-46, 52, 57, 85-96, 103, 111-113; Kalverboer, 1978, pagina's 8-14; Kessler, 1980, pagina's 35-36, 40-45; Pieters, 2003, pagina's 640-641; Pieters et al., 2002, pagina's 54-55; Prechtl, 1963, pagina 5-7 en 1973, pagina's 282-302; Sandberg & Barton, 2002, pagina's 2-3, 8-10, 13-19; Schachar, 1986, pagina's 26-29; Vedder, 1983, pagina 181, 188; Verberg, 1986, pagina's 12-15, 18-19, 46, 57.
8. Kalverboer, 1978, pagina 8.
9. Barkley, 2006, pagina 8; Brancaccio, 2001, pagina's 203-204; Brancaccio, 1996, pagina 165; Gezondheidsraad, 1985, pagina's 2, 5, 52, 57,

95-96, 111-113; Kalverboer, 1978, pagina's 13-14; Kessler, 1980, pagina's 44-45; Prechtl, 1963, pagina 5 en 1973, pagina's 282-283; Verberg, 1986, pagina's 18-19, 46, 57.

10. Vedder, 1983, pagina 181.

11. Hart de Ruyter, 1961, pagina's 745-748; Hart de Ruyter & Kamp, 1972, pagina's 126-130.

12. Het hoofdstuk van Hart de Ruyter in *Hoofdlijnen der kinderpsychiatrie* was onderdeel van de 'sectie' over 'organiciteit in de kinderpsychiatrie' (Hart de Ruyter & Kamp, 1972). A.F. Kalverboer schrijft in 1978: 'The label MBD is generally used to suggest the organic background', zie: Kalverboer, 1978, pagina 7.

13. Vedder, 1974, pagina's 184-200. Pas later werd '(het MBD-kind)' in de titel van dit hoofdstuk toegevoegd in dit leerboek, vermoedelijk bij de tiende druk uit 1983 (tamelijk laat in de tijd dus!).

14. Vedder, 1974, pagina 194 (of: Idem., 1983, pagina 191).

15. Vedder, 1974, pagina 198 (of: Idem., 1983, pagina 195).

16. Rümke, 1973, pagina 217.

17. Brancaccio, 2001, pagina's 193-200; Gezondheidsraad, 1985, pagina 69; Pieters, 2003, pagina 640; Pieters, et al., pagina's 53-55; Schachar, 1986, pagina's 25-27; Verberg, 1986, pagina's 60-66.

18. Gezondheidsraad, 1985, pagina's 69, 121; Lockhorn, 1981, pagina's 41-42; Pieters, 2003, pagina 641; Pieters et al., 2002, pagina 56; Verberg, 1986, pagina's 11, 55, 57-58.

19. Eigenlijk is het beter om te spreken van 'psychodynamisch', maar om de zaken niet onnodig ingewikkeld te maken is hier gekozen om consequent de bekendere term 'psychoanalytisch' te gebruiken.

20. Zie (ook voor verdere verwijzingen): Bolt & De Goei, 2008, pagina's 42-45, 67-69.

21. Rümke, 1973, pagina's 217-218.

22. Hart de Ruyter & Kamp, 1972, pagina 127.

23. Ibidem.

24. Hart de Ruyter, 1961, pagina's 746-748; Hart de Ruyter & Kamp, 1973, pagina's 125, 127-130; Prechtl, 1963, pagina's 8,11-12; Raggers-van der Zaal, 1975, pagina's 219-221, 229; Rümke, 1973, pagina's 217-114; Vedder, 1974, pagina's 187, 194-196. Ook in het midden van de jaren tachtig legden de Gezondheidsraad en de respondenten van het promotie-onderzoek van G.M. Verberg sterk het accent op 'gezins- en

milieufactoren': Gezondheidsraad, 1985, pagina's 3-5, 43, 46-48, 50, 52, 116, 120, 122; Verberg, 1986, pagina 57.

25. Zie onder andere: Vedder, 1974, pagina 195.

26. Hart de Ruyter, 1961, pagina's Hart de Ruyter & Kamp, pagina 127; Lockhorn, 1981, pagina's 40, 42-43, 67; Raggers-van der Zaal, 1975, pagina 221; Rümke, 1973, pagina's 218-219, 222; Vedder, 1974, pagina's 197-199.

27. Hart de Ruyter, 1961, pagina 746; Raggers-van der Zaal, 1975, pagina's 223-225; Rümke, 1973, pagina's 219, 222-223; Vedder, 1974, pagina 197.

28. Raggers-van der Zaal, 1975, pagina 224.

29. Ibidem, pagina's 226-229.

30. Ibidem, pagina 227.

31. Ibidem, pagina 226.

32. Ibidem, pagina 228.

33. Hart de Ruyter, 1961, pagina's 745, 747-748.

34. Ibidem, pagina 745.

35. Ibidem, pagina 746.

36. Ibidem, pagina 747.

37. Rümke, 1973, pagina's 218-219.

38. Hart de Ruyter & Kamp, 1972; zie ook: Prechtl, 1963, pagina 5; Rümke & Hart de Ruyter, 1960, pagina 12; Vedder, 1974, pagina 198.

39. Zie bijvoorbeeld Nieweg, 2006, pagina 304.

40. Abma & Weijers, 2005, pagina's 93-99, 104-106; Nieweg, 2000.

41. Hart de Ruyter, 1961, pagina 745.

42. Zie bijvoorbeeld Ibidem., pagina 748.

43. Bolt & De Goei, 2008, pagina 66; Pieters, 2003, pagina's 640-642; Pieters, et al., 2002, pagina's 54-56.

44. Gezondheidsraad, 1985, pagina's 26-27.

45. Lockhorn, 1981, pagina 9.

46. Brancaccio, 2001, pagina's 158, 188-190, 207; Hart de Ruyter & Kamp, 1972, pagina's 75-76; Nieweg, 2006, pagina's 306-307; Pieters, 2003, pagina 641; Pieters et al., 2002, pagina 56; Sandberg & Barton, 2002, pagina 3; Schachar, 1986, pagina's 32-33; Vedder, 1974, pagina 85-88.

47. Kalverboer, 1978, pagina 8; Raggers-van der Zaal, 1975, pagina 219; Prechtl, 1963, pagina's 4, 12-13 en 1973, pagina 282; Vedder, 1974, pagina 184. Daarnaast meldt Nieweg dat C. Rümke in de jaren zeventig

'op college' zei dat 5 tot 10 % van de Nederlanse kinderen MBD had, zie: Nieweg, 2006, pagina 307.

48. Gezondheidsraad, 1985, pagina's 55, 112; Lockhorn, 1981, pagina 31; Nieweg, 2006, pagina 307; Verberg, 1986, pagina's 15, 19-20, 45-48, 57. Zie verder onder andere: Archief NIBG: 'Buitenbeentjes', *Tros Aktua* afl. 324, 325 en 326 (respectievelijk 19 januari, 26 januari en 2 februari 1981).

49. Gezondheidsraad, 1985, pagina's 1, 112.

50. Ibidem., pagina's 3, 63.

51. Ibidem., pagina 3.

52. Ibidem, pagina's 3, 6-7, 62, 69-73.

53. Ibidem., pagina's 1-2, 112.

54. Hart de Ruyter, 1961, pagina's 745-747; Raggers-van der Zaal, 1975, pagina's 220, 226, Rümke, 1973, pagina's 218-219, 221-223.

55. Abma & Weijers, 2005, pagina 236; Blok, 2004, pagina's 123, 139, 142, 150-151, 156, 165; Bolt & De Goei, 2008, pagina's 55-61, 86-87.

56. Bakker et al., 2006, pagina's 292-297; Brancaccio, 2001, pagina's 161-162; Weijers, 2007, pagina's 167-171.

57. Blok, 2004, pagina's 49-52, 82-86, 139, 156-158; Brancaccio, 2001, pagina's 165-168; Oosterhuis & Gijswijt-Hofstra, 2008, pagina's 902-904, 972-974, 982-983.

58. Gezondheidsraad, 1985, pagina's 44, 46-47, 70-71, 89-91; Pieters, 2003, pagina 642; Pieters et al., 2002, pagina's 56-57; Rafalovich, 2004, pagina's 168-174; Sandberg & Barton, 2002, pagina's 21-22; Schachar, 1986, pagina's 30-31; Weijers, 2007, pagina 168. Zie ook: Buiterlaar, 2000, pagina's 69-71.

59. Deze verklaringen hebben vooral betrekking op de stand van zaken in de Verenigde Staten, maar worden tot op zekere hoogte ook van toepassing geacht op de Nederlandse situatie.

60. Brancaccio, 2001, pagina's 153, 161, 185-186; Brancaccio & De Lange, 2001, pagina 35; Conrad, 2006, pagina's 89-90, 95-99; Hutschemaekers, 1990, pagina's 70-71, 127-130; Oosterhuis & Gijswijt-Hofstra, 2008, pagina's 773-775, 986-994; Rafalovich, 2004, pagina's 4, 9; De Swaan, 1989, pagina's 238-239, 246-247, 253, 260.

61. Brancaccio, 1996, pagina's 170-171 en 2001, pagina 185; Conrad, 2006, pagina's 43, 49, 89-90, 95-99; Rafalovich, 2004, pagina's 89-108.

62. Brancaccio, 2001, pagina's 169-184. Zie voor onderwijsontwikkelingen

in Nederland: Bakker et al., 2006, pagina's 522 e.v.; Weijers, 2007, pagina's 82-87.

63. Brancaccio, 1996, pagina's 171 en 2001, pagina's 185-186; Brancaccio & De Lange, 2001, pagina 35; Conrad, 2006, pagina's 95-96, 99; Rafalovich, 2004, pagina's 89-128, zie voorbeeld op pagina 65. Zie ook: Bakker et al., 2006, pagina 522 e.v.; Weijers, 2007, pagina's 82-87.

64. Blok, 2004, pagina's 150, 160-162, 165; Bolt & De Goei, 2008, pagina's 58-59; Oosterhuis & Gijswijt-Hofstra, 2008, pagina 914 e.v.

65. Blok, 2004, pagina's 160-161; Oosterhuis & Gijswijt-Hofstra, 2008, pagina's 914-915; De Waardt, 2005, pagina 189.

66. Blok, 2004, pagina's 185-190; Oosterhuis & Gijswijt-Hofstra, pagina's 927-928.

67. Gezondheidsraad, 1985, pagina 9.

68. Ibidem, 62. Zie ook: Lockhorn, 1981, pagina's 20, 24.

69. Archief NIBG 'Buitenbeentjes', *Tros Aktua* afl. 324, 325 en 326 (19 januari, 26 januari en 2 februari 1981).

70. Dezelfde teneur (ouders die beschuldigd worden, terwijl het kind 'gewoon' een handicap heeft) als in de reportages in *Tros Aktua* kwam bijvoorbeeld naar voren in Lockhorn, 1981, pagina's 24, 37; en in de interviews met ouders van MBD-kinderen in *Van Gewest tot Gewest* (uitgezonden op 14 oktober 1981) en in *Wim en Marianne, twee ongewone kinderen*, een programma van de NCRV in twee delen uitgezonden op 1 oktober 1981 en 4 januari 1982. Beide uitzendingen duurden circa 50 minuten en bevatten, naast studio-interviews met ouders en deskundigen, reportages over Wim en Marianne, twee MBD-kinderen. De eerste uitzending leverde zoveel reacties van ouders van MBD-kinderen op, dat er onder hen een enquête is gehouden over bijvoorbeeld moeilijkheden bij de opvoeding, problemen op school en onbegrip bij artsen en hulpverleners, waarvan de resultaten in de tweede uitzending werden besproken. Opvallend is overigens, zowel in dit programma als in *Tros Aktua*, dat zuurstofgebrek rondom de geboorte expliciet als dé oorzaak van MBD werd gesteld (om die reden kwam in beide programma's ook een gynaecoloog aan het woord), terwijl aan het verband tussen MBD en zuurstoftekort bij de geboorte toch sterk werd getwijfeld onder deskundigen . Zie voor dit alles: Archief NIBG.

71. Aanhalingen komen uit: 'Buitenbeentjes', *Tros Aktua*.

Noten hoofdstuk 5

1. Dit hoofdstuk is deels gebaseerd op Bolt & De Goei, 2008, pagina's 75-90, 98-112, enkele fragmenten zijn ook hieruit overgenomen.
2. Gezondheidsraad, 2000.
3. Ibidem., pagina's 40-41.
4. Dit rapport werd sinds het verschijnen in Nederlandse (wetenschappelijke) publicaties veelvuldig aangehaald als informatiebron en als het 'officiële' standpunt over ADHD. In de multidisciplinaire richtlijn voor de diagnostiek en behandeling van deze stoornis, die in 2005 door drie cliënt-/familieorganisaties en tien beroepsverenigingen werd opgesteld, is bijvoorbeeld volledig de lijn van de Gezondheidsraad gevolgd. Zie: Brandt-Dominicus, 2005.
5. Gezondheidsraad, 2000, pagina's 41, 44; zie ten aanzien van de twijfels over ADHD 'zinvolle diagnostische categorie: Alger et al., 2008, Bouma & Teugels, 2008; Brancaccio & De Lange, 2001; Breuk, 2001; Buitelaar, 2001 'Discussies over ADHD'; Van der Glind, 2008; Nieweg, 2006.
6. Dehue, 2008, pagina 225.
7. Archief NIBG, *Journaal*, 19 mei 2008 (vanaf 7.00 uur 's ochtends elk uur).
8. Abma & Weijers 2005, pagina's 180-183; Bolt & De Goei, 2008, pagina's 87-88; Jongedijk, 2001.
9. Van der Gaag, 2003, pagina 6.
10. Abma & Weijers, *Met gezag*, pagina's 180-183; Bolt & De Goei, 2008, pagina's 87-88; Jongedijk, 2001; De Waardt, 2005, pagina's 223-224.
11. Brandt-Dominicus, 2005, pagina's 17-18, 30; Conrad, 2006, pagina's 107-108.
12. Barkley, 2005, pagina's 19-24; Brancaccio, 2001, pagina's 207-208, Conrad, 2006, pagina 107; Pieters, 2003, pagina 642.
13. Barkley, 2005, pagina's 24-25, 36; Gezondheidsraad, 2000, pagina's 35-37; Pieters, 2003, pagina 642.
14. Deze alinea is een persoonlijke observatie van de auteur, alsmede gebaseerd op gesprekken met behandelaars, patiënten en ouders. Zie tevens de website van oudervereniging Balans, www.balansdigitaal.nl en dan via de knop 'stoornissen' naar 'ADD' en de interviews met ouders in: Rafalovich, 2004.

15. Zie hoofdstuk 4; zie ook: Archief NIBG, zoekterm 'MBD'. Zie voor het relatief laat doordringen van de DSM en het ADHD-concept in Europa en Nederland: Brancaccio, 2001, pagina's 207, 210-211.

16. Website Gezondheidsnet; Gezondheidsraad, 2000, pagina's 53, 74-75; Pieters et al., 2002, pagina's 71-73, Stichting Farmaceutische Kengetallen, 2007 en 2008.

17. Zie vorige noot.

18. Wel is Ritalin® het meest gebruikte middel. Het wordt door artsen als eerste keuzemedicatie voorgeschreven bij ADHD. Het wordt ook volledig vergoed in de basisverzekering.De vergoedingslimiet voor de andere medicijnen is gelijkgesteld aan de prijs van het veel goedkopere Ritalin. Het gebruik van atomoxetine lijkt beperkt te blijven tot de kleine groep patiënten bij wie methylfenidaat niet werkt of ernstige bijwerkingen geeft (bronnen: website van de oudervereniging Balans, www.balansdigitaal.nl, Stichting Farmaceutische Kengetallen, 2007 en 2008.

19. Bolt & De Goei 2008, pagina's 53-60; Oosterhuis & Gijswijt-Hofstra, 2008, pagina's 746, 768-771, 914 e.v.

20. Abma & Weijers, 2005, pagina's 204-209, 217; Oosterhuis & Gijswijt-Hofstra, 2008, pagina's 914-915, 1004-1008; De Waardt, 2005, pagina's 188-189.

21. Abma & Weijers, 2005, pagina 173; Blok, 2004, pagina 206; Bolt & De Goei, 2008, pagina's 56-58; De Goei, 1992, pagina's 136-137, 140-141; Oosterhuis & Gijswijt-Hofstra, 2008, pagina's 771-772; De Waardt, 2005, pagina's 225-228.

22. Abma & Weijers, 2005, pagina's 138-141, 233-234, 236; Bolt & De Goei, 2008, pagina's 53-55.

23. Abma & Weijers, 2005, pagina's 175-183, 236; Bolt & De Goei, 2008, pagina's 76-89, 98-100.

24. Abma & Weijers, *Met gezag*, pagina's 173-174,179-180; Bolt & Goei, *Kinderen van hun tijd,* pagina's 77-82; De Waardt, 2005, pagina's 215, 218, 226-227.

25. Buitelaar, 2000, pagina's 72-74 en 2001, pagina's 1485-1486; Barkley, 2006, pagina's 32-34; Fliers et al., 2005; Gezondheidsraad, 2000, pagina's 35, 56-57; Klasen & Verhulst, 2005, pagina 1723.

26. Vegt et al, 2007, pagina 289. Zie ook: Brandt-Dominicus, 2005, pagina 19, Barkley, 2006, pagina 39, Breuk, 2001, pagina's 16, 25; Fliers et al.,

2005, pagina 1726; Van der Glind, 2008; Kooij, 2007, pagina 302.

27. Vegt et al., 2007, pagina 289. Zie ook: Brandt-Dominicus, 2005, pagina 19; Fliers et al., 2005, pagina 1726; Kooij, 2007, pagina 302.

28. Zie bijvoorbeeld: Alger et al., 2008; Brancaccio & De Lange, 2001; Dehue, 2008, pagina 47, Nieweg, 2006; Vandereycken, 2006, pagina's 121,125-127. Zie ook: Rafalovich, 2004, pagina's 42-60.

29. Dehue, 2008, pagina 126.

30. Dehue, 2008, pagina's 91-100, 125-129.

31. Buitelaar, 2000, pagina's 72-74 en 2001, pagina's 1485-1486; Bergsma, 2000; Breuk, 2001, pagina's 16-18; Fliers et al., 2005, pagina's 35, 56-57, Gezondheidsraad, 2000, pagina's 41, 44.

32. Gezondheidsraad, 2000, pagina's 34, 40-44. Depressie en angststoornissen komen in onderzoek voor tussen de 0 en 50% van de kinderen met ADHD (een precieze schatting is dus niet te geven). 20 tot 30% van de kinderen met ADHD zou een specifieke leerstoornis hebben, waarbij het vooral gaat om dyslexie (pagina's 42-43). Zie ook: Brandt-Dominicus, 2005, pagina's 19, 29.

33. Brancaccio & De Lange, 2001, pagina 30; Gezondheidsraad, 2000, pagina's 37-38, 49-50.

34. Brancaccio & De Lange, 2001, pagina's 29-30; Gezondheidsraad, 2000, pagina's 9-10, 35-38; Pieters et al, 2002, pagina's 64-65.

35. Brancaccio, 1996, pagina 167, Brancaccio & De Lange, 2001, pagina's 28-31, Pieters et al., 2002, pagina's 63-65; Vandereycken, 2006, pagina's 125-127.

36. Buitelaar, 2000, pagina 74 en 2001 pagina's 1485-1486; Bergsma, 2000, pagina 18.

37. Zie onder andere Abma & Weijers, 2005, pagina's 180-183; Jongedijk, 2001, pagina's 309-312.

38. Cijfers van het vóórkomen van stoornissen.

39. Zie: Bolt & De Goei, 2008, pagina's 88-89.

40. Alger et al., 2008; Conrad, 2006, pagina 105, Dehue, 2008, pagina's 18, 46-49; Horwitz & Wakefield, 2007; Jongedijk, 2001, pagina's 310, 314; Van Praag, 1992; Vandereycken, 2006, pagina's 125-126.

41. Bolt & De Goei, 2008, pagina 83; Vandereycken, 2006, pagina 120.

42. Bolt & De Goei, 2008, pagina 106; Brandt-Dominicus, 2005, pagina's 44-50; Buitelaar, 2001, pagina's 1487-1488; Gezondheidsraad, 2000, pagina's 61-62, 65-75; Pieters, 2003, pagina 641.

43. Geciteerd in: Pieters et al., 2003, pagina 76.
44. Bergsma, 2000; Brandt-Dominicus, 2005, pagina's 45-48,51-55; Breuk, 2001, pagina's 23-24; Buitelaar, 2001, pagina's 1487-1488; Gezondheidsraad, 2000, pagina's 61-62, 65-75; Pieters, 2003, pagina 641.
45. Dehue, 2008, pagina's 130-167.
46. Abma & Weijers, 2005, pagina's 184, 238; Bouma, 2006; Dehue, 2008, pagina's 91-118, 168-197; Köbben & Tromp, 1999; Vandereycken, 2006; Vandereycken & Van Deth, 2006.
47. Zie bijvoorbeeld: Brancaccio & De Lange,2001, pagina 28, Conrad, 2006, pagina's x, xiv ; Rafalovich, 2004, onder andere pagina's 178-179.
48. Bolt & De Goei, 2008, pagina's 110-111; Gezondheidsraad, 2000, pagina's 10-11, 76-81; Brandt-Dominicus, 2005, pagina 43 e.v.
49. Boer, 2007; Buitelaar, 2000a en 2004; Gezondheidsraad, 2000, pagina's 82-85; Pieters, et al., pagina's 75-76.
50. Gezondheidsraad, 'Diagnostiek en behandeling van ADHD', pagina's 9-10, 33-34, 38-40, 56-61.
51. Ibidem, pagina 39.
52. Ibidem, pagina 9.
53. Ibidem, pagina's 9, 29, 33-34, 39-40, 56-62, 89-90. Zie ook: Buitelaar, 2003, pagina's 9-11; Doreleijers, 1998; Van Goozen, 2000; Gunning, 1996, pagina's 1-2; Kievits & Adriaanse, 2007.
54. Brandt-Dominicus, 2005, pagina 20; Gezondheidsraad, 2000, pagina 10.
55. Bolt & De Goei, 2008, pagina's 82-89, 98-100.
56. Rafalovich,2004, pagina 180.
57. Ibidem., onder andere pagina's 178-180.
58. Dehue zegt letterlijk: 'Er zijn kinderen en volwassenen die wel degelijk grote gedragsproblemen hebben. Maar daarnaast geldt dat er veel stoornissen onder het begrip ADHD zijn gebracht die daar niet thuis horen', geciteerd in: Alger et al., 2008. Joseph Conrad (2006) haalt de volgende uitspraak van een psychotherapeut aan: 'Certainly, some people diagnosed with ADHD are neurologically impaired and need medication. But the disorder is also being named as the culprit for all sorts of abuses, hypocricies, neglects and other societal ills that have nothing to do with ADHD)'.
59. Zie vorige noot.

Noten hoofdstuk 6

1. Nieweg, 2006, pagina 310.
2. Overigens maken Pieters et al. niet echt duidelijk wat zij bedoelen met die 'calvinistische gezondheidstraditie' noch hoe en waarom die plaats heeft moeten maken voor de grote bereidheid om deze *lifestyle* medicijnen te slikken.
3. Pieters et al., 2002, pagina's 3-4, 79-80. Zie ook: Archief NIGG; Brancaccio, 2001, pagina 222; Brancaccio & De Lange, 2001, pagina 35; Conrad, 2006, pagina's 110-112, 118-119, 124-125; Pieters, 2003, pagina 643.
4. Breuk, 2000, pagina 15; Gezondheidsraad, 2000, pagina's 144-155; Pieters et al., 2002, pagina's 80-81. Ook Conrad (2006, pagina 117) constateerde deze omslag naar een kritischer houding in de populaire media. Conrad, *Identifying hyperactive children* 117. Zie ook: Archief NIBG (zoekterm 'ADHD').
5. Zie hoofdstuk 4.
6. Verschillende criciti erkennen dat sommige patiënten met de diagnose ADHD wel degelijk een neurologische stoornis hebben en baat hebben bij medicatie. Zij maken echter bezwaar tegen het (vermeende) oprekken van de diagnose en het indicatiegebied van methylfenidaat waardoor steeds meer kinderen en volwassenen daaronder vielen die eigenlijk helemaal niet 'echt' ziek waren. Zie o.a. Alger et al., 2008; Conrad, 2006 (en het 'besluit' van hoofdstuk 5).
7. Pieters et al., 2002, pagina 76. Zie ook: Brancaccio, 2001, pagina 221; Pieters, 2003, pagina 643; Vandereycken,2006, pagina's 125-126.
8. Pieters et al., 2002, pagina's 76-78.
9. Donker, Groenhof & Van der Veen, 2005.
10. Klasen & Verhulst, 2005.
11. Nieweg, 2006, pagina 303.
12. Buitelaar, 2000, pagina's 69-71.
13. Van Soest & Wiggers, 2008.
14. Alger et al., 2008; Dehue, 2008, pagina's 225-262; Zie ook: Brinkgreve, 2008; Honoré, 2009; Oosterhuis & Gijswijt-Hofstra, 2008, pagina's 1199, 1274, 1276; Wubs 2010.
15. Aangehaald in: Alger et al., 2008.
16. Dehue, 2008; zie ook: Alger et al. 2008.

17. Alger et al., 2008; Brancaccio, 2001, pagina 225; Dehue, 2008, pagina's 25, 225-229; Hutschemaekers, 1990, pagina's 245-247.
18. Zie bijvoorbeeld Bergsma, 2000, pagina's 178-180; Brinkgreve, 2008; Honoré, 2009; Donker et al., 2005, pagina 742; Pieters et al., 2002, pagina 85. Vgl. Hutschemaekers, 1990, pagina 246.
19. Mededeling van F. Verhulst, hoogleraar kinder- en jeugdpsychiatrie in Rotterdam en vooraanstaand epidemioloog, gedaan tijdens het jubileumcongres van de afdeling Kinder- en Jeugdpsychiatrie van de Nederlandse Vereniging voor Psychiatrie, op 25 september 2008.
20. Conrad, 2006, pagina 72.
21. Brancaccio, 2001, pagina's 221-225; Conrad, 2006, pagina's 119-125; Dehue, 2008, pagina's 68, 188 en 237; Pieters et al., 2002, pagina 80.
22. Dehue, 2008, pagina 48.
23. Brancaccio, 2001, pagina's 221-224; Conrad, 2006, pagina's 15, 101-103, 124-125; Dehue, 2008, pagina's 21-22, 69-74, 91-129, 218-225; Rafalovich, 2004, pagina's 4-6; Vandereycken, 2006, pagina's 121-123. Zie ten aanzien van de publieksvoorlichting bijvoorbeeld: www.balans-digitaal.nl (oudervereniging Balans) en www.kiesbeter.nl (openbare zorgportal gemaakt door het Rijksinstituut voor Volksgezondheid en Milieu, RIVM). Weliswaar wordt op deze websites het voorbehoud gemaakt dat de precieze oorzaak van ADHD (nog) niet bekend is, maar toch is de suggestie wel heel sterk dat het een hersenziekte betreft. Op kiesbeter.nl wordt ADHD bijvoorbeeld als volgt geïntroduceerd: 'Er zijn een aantal stoffen in de hersenen die bij kinderen met ADHD anders werken dan bij kinderen zonder ADHD. Hierdoor reageren kinderen sneller op prikkels uit de omgeving en zijn minder gericht op prikkels waar ze zich op moeten richten zoals schoolwerk. Dit heeft gevolgen voor de aandacht en concentratie en maakt veel kinderen hyperactief en impulsief', zie: http://www.kiesbeter.nl/medischeinformatie/keuzehulp/adhd-bij-kinderen/over-adhd (laatst bekeken op 23 januari 2010).
24. Brancaccio, 2001, pagina's 222-224; Conrad, 2006, pagina's 112-114; Dehue, 2008, pagina 104; Pieters et al., 2002, pagina's 80-81. Zie bijvoorbeeld ook de Zembla-documentaire 'Kinderen aan de pil' uit 1999 in het archief van het NIBG.
25. Breuk, 2001, pagina 24; Conrad, 2006, pagina's xiv-xv; Oosterhuis & Gijswijt-Hofstra, 2008, pagina 1174; Pieters et al., 2002, pagina's 80-

81; Rafalovich, 2004, pagina's 151 e.v.

26. Brancaccio, 2001, pagina's 223-224; Brancaccio & De Lange, 2001, pagina 35.

27. Pronk, 2009; zie berichtgeving in verschillende media begin december 2009.

28. Brinkgreve 2008; Honoré, 2009; Wubs, 2010. Zie ook www.hyperparenting.com . Zie over 'probleemcultuur' ook de inleiding van hoofdstuk 3 en Van Lieshout, 1993.

29. Brancaccio, 1996 en 2001; Conrad, 2006; Gezondheidsraad, 2000, pagina's 159-160; Pieters et al., 2002, pagina 78; Rafalovich, 2004; Terpstra & Paternotte, 2009; Weijers, 2007, pagina's 131-132.

30. Steeneman, Vandormael, & Coolen (2004), pagina's 24-26. Zie ook: Rafalovich, 2004, pagina's 17, 178, 180. Vooral op internet wordt hierover veelvuldig gediscussieerd, zie bijvoorbeeld: http://tweede kamer.blog.nl, www.stand.nl, http://www.beteronderwijsnederland. net, http://www.nujij.nl en www.ad.nl met zoektermen 'feminisering', 'onderwijs' en 'ADHD' (laatst bekeken op 8 december 2009. Over de verhouding jongens-meisjes met de diagnose ADHD worden overigens uiteenlopende cijfers gegeven, variërend van 3:1 tot 8:1, de verhouding van 4:1 wordt in de wetenschappelijke literatuur het meest genoemd, bijvoorbeeld door de Gezondheidsraad: Gezondheidsraad, 2000, pagina 39.

31. Obbink, 2009; zie ook de berichtgeving in verschillende andere media.

32. Bolt & De Goei, 2008, pagina's 109-110.

33. Bolt & De Goei, 2008, pagina 106.

34. Zie artikel in *Trouw* van 17 oktober 2008: 'Alleen geld voor pillen, niet voor onderzoek'.

35. Zie in dit verband ook: De Winter, 2010.

36. De Swaan, 1979, pagina 12 en 1989, pagina 233.

BRONNEN EN LITERATUUR

(Internet)bronnen

- Archief Nederlands Instituut voor Beeld & Geluid (NIBG).
- Digitale archieven van de dagbladen *Algemeen Dagblad, NRC Handelsblad, Trouw* en *de Volkskrant*
- Website oudervereniging Balans: http://www.balansdigitaal.nl (laatst bekeken 23 januari 2010)
- Gezondheidsnet.nl, website met medisch en gezondheidsnieuws: http://www.gezondheidsnet.nl/geest/nieuws/3378/toename-gebruik-aantal-adhd-medicijnen (laatst bekeken 23 januari 2010).
- Amerikaanse website over 'hyperparenting' en de 'over-scheduled child': http://www.hyperparenting.com (laatst bekeken 23 januari 2010).
- Kiesbeter.nl, openbaar zorgportal gemaakt door het Rijksinstituut voor Volksgezondheid en Milieu (RIVM): http://www.kiesbeter.nl/medischeinformatie/keuzehulp/adhd-bij-kinderen/deze-keuzehulp (laatst bekeken 23 januari 2010)

Literatuur

Aalderen, H.J. van. (1966). *Jonge nerveuze kinderen. Een onderzoek in de praktijk van de huisarts.* Leiden: Steinfert Kroese.

Abma, R. (2001). De patient. De opkomst van de therapeutische samenleving. In J. Jansz, & P. van Drunen (Eds.), *Met zachte hand. Opkomst en verbreiding van het psychologisch perspectief* (pagina's 115-134). Leusden: De Tijdstroom.

Abma, R. & Weijers, I. (2005). *Met gezag en deskundigheid. De historie van het beroep psychiater in Nederland.* Amsterdam: SWP.

Alger, B., Bouma, J., & Teugels, M. (2008). De risico's van Ritalin. *Trouw,* 17 oktober 2008.

Alleen geld voor pillen, niet voor onderzoek (2008). *Trouw,* 17 oktober 2008.

Bakker, N. (1995). *Kind en karakter. Nederlandse pedagogen over opvoeding in het gezin 1845-1925.* Amsterdam: Het Spinhuis.

Bakker, N. (1998). Child-rearing literature and the reception of Individual Psychology in The Netherlands, 1930-1950: the case of a Calvinist pedagogue. *Paedagogica Historica*, Suppl. Series III, pagina's 585-602.

Bakker, N. (2001). A harmless disease: children and neurasthenia in the Netherlands. In M. Gijswijt-Hofstra, & R. Porter, R. (Eds.), *Cultures of neurasthenia from Beard to the First World War* (pagina's 309-327). Amsterdam: Rodopi.

Bakker, N. (2002). Het kind en de geestelijke volksgezondheid tijdens de Wederopbouw. Een dag op een Medisch Opvoedkundig Bureau. In M. Reuling, D. W. Postma, & J. Noordman (Eds.), *Opvoeding, onderwijs & overheid: thema's uit de wijsgerige en historische pedagogiek* (139-150). Amsterdam: SWP.

Bakker, N. (2003). Health and the medicalization of advice to parents in the Netherlands. In Gijswijt-Hofstra (Ed.), *Cultures of child health in Brittain and the Netherlands in the twentieth century* (127-148). Amsterdam: Rodopi.

Bakker, N., Noordman, J., & Rietveld-van Wingerdan, M. (2006). *Vijf eeuwen opvoeden in Nederland. Idee en praktijk: 1500-2000*. Assen: Van Gorcum.

Barkley, R.A. (2006). *Attention-Deficit Hyperactivity Disorder. A handbook for diagnosis and treatment* (3rd edition). New York: Guilford

Bergsma, A. (2000). Druktemakers. Negen misverstanden over ADHD. *Psy 4* (7) 17-19.

Blok, G. (2004). *Baas in eigen brein: 'anti-psychiatrie' in Nederland, 1965-1985*. Amsterdam: Nieuwezijds.

Blok, P.J. (1908). Vrouwelijke studenten. *Het kind*, *9*, 69-103.

Boer, F. (2007). Nadat de onderzoekers het veld hebben verlaten. *Tijdschrift voor psychiatrie*, *49*, 525-527.

Bolt, T. (2010). Van zenuwachtig tot hyperactief. Een eeuw ADHD (ca. 1900-2009). In W. Koops, B. Levering, & M. de Winter (Eds.), *Darwin, geschiedenis en opvoeding* (pagina's 95-114). Amsterdam: SWP.

Bolt, T., & Goei, L de. (2008). *Kinderen van hun tijd. Zestig jaar kinder- en jeugdpsychiatrie in Nederland, 1948-2008*. Assen: Van Gorcum.

Bouma, J. (2006). *Slikken. Hoe ziek is de farmaceutische industrie?* Amsterdam: Bouman, K.H. (1912). Lastige en ondeugende kinderen. In *Verzameling overdrukken uit de jaren 1909 tot 1940* [s.l.; s.n.].

Bouman, K.H. (1913). Paedagogische maatregelen ten behoeve van de constitutioneel psychopathische schooljeugd. *Verzameling overdrukken uit de jaren 1909 tot 1940* [s.l.; s.n.].

Bouman, K.H. (1929). *Over sociale psychiatrie*. Oratie Universiteit van Amsterdam.

Brancaccio, M.T. (1996). Het onbehagen in hyperactiviteit. But Fidgety Phil, he won't sit still...'. *Psychologie & maatschappij, 20*, 163-176.

Brancaccio, M.T. (2001). *"But Fidgety Phil / He won't sit still...". From instability to hyperactivity, 1890s-1990s.* Proefschrift Universiteit van Amsterdam.

Brancaccio, M.T., & Lange, M. de. (2001). ADHD: a critical view. *Psychologie & maatschappij, 25*, 28-37.

Brandt-Dominicus, J.C. (Ed.). (2005). *Multidisciplinaire richtlijn ADHD. Richtlijn voor de diagnostiek en behandeling van ADHD bij kinderen en jeugdigen.* Utrecht: Trimbos-instituut.

Brants, L. (2004), *Leiding moeten zij hebben. Geschiedenis van de sociaal-pedagogische zorg voor mensen met een verstandelijke handicap in Nederland tussen 1900 en 1945.* Antwerpen: Garant.

Breuk, R. (2001). ADHD. Een door machteloze ouders en psychiaters bedachte mythe? *Psychologie & maatschappij, 25*, 15-27.

Brinkgreve, C. (2008). Modern ouderschap. In M. de Winter, W. Koops, & B. Levering (Eds.), *Opvoeding als spiegel van de beschaving* (pagina's 126-136). Amsterdam: SWP.

Buitelaar, J.K. (2000). Over hyperactiviteit vroeger en nu. In J. Vandeputte, J.K. Buitelaar, P. Cohen-Kettens, & W. Matthys (Eds.), *Uit de kinderschoenen. 60 jaar Kinder- en Jeugdpsychiatrie UMC-Utrecht* (pagina's 63-75). Assen: Van Gorcum.

Buitelaar, J.K. (2000a). Beproefd. Medicatie en gedragstherapie bij kinderen met aandachtstekort-hyperactiviteitstoornis (ADHD). *Maandblad geestelijke volksgezondheid, 55*, 565-571.

Buitelaar, J.K. (2001). Discussies over aandachtstekort-hyperactiviteitstoornis (ADHD): feiten, meningen en emoties. *Nederlands tijdschrift voor geneeskunde 145*, 1485-1489.

Buitelaar, J.K. (2003). *Ontwikkelen...De tijd is in de mens.* Inaugurele rede Katholieke Universiteit Nijmegen.

Buitelaar, J.K. (2004). Wat is een voldoende goede behandeling voor ADHD? *Tijdschrift voor psychiatrie, 46*, 27-29.

C. (1904). Het zondigen der kinderen. *Het kind, 5*, 86-87, 92-93.

Carp, E.A.D.E. (1932). *Het misdadig kind in psychologisch opzicht.* Amsterdam: Scheltema & Holkema.

Carp, E.A.D.E. (1934). *Conflicten van het kinderleven.* 's-Gravenhage: Haga.

Chorus, A.M.J. (1940). *Het tempo van ongedurige kinderen. Een vergelijkend psychologisch onderzoek.* Amsterdam: Paris.

Conrad, P. (2006). *Identifying hyperactive children. The medicalization of deviant behaviour* (expanded ed.). Aldershot: Ashgate.

Cox, W.H. (1904). Eenige opmerkingen over het lager onderwijs. *Het kind, 5*, 14-16.

Dehue, T. (2008). *De depressie-epidemie. Over de plicht het lot in eigen hand te nemen* Amsterdam: Augustus.

Donker, G.A., Groenhof, F., & Van der Veen, W.J. (2005). Toenemend aantal voorschriften voor methylfenidaat in huisartsenpraktijken in Noordoost-Nederland, 1998-2003. *Nederlands tijdschrift voor geneeskunde, 149*, 1742-1747.

Doreleijers, Th. A. H. (1998). *De dokter en de zware jongen.* Inaugurele rede Vrije Universiteit Amsterdam.

Erp Taalman Kip, M.J. (1912). *De behandeling van functioneele neurosen.* Amsterdam: Scheltema & Holkema.

Fliers, E.A., Branke, B., & Buitelaar, J.K. (2005). Erfelijke factoren bij aandachtstekort- hyperactiviteitstoornis. *Nederlands tijdschrift voor geneeskunde, 149*, 1726-1729.

Frets-van Buuren, J.J. (1957). *Onderzoek naar de betekenis van de diagnose neuropathie. Deel II: psychiatrische aspecten.* Leiden: IJdo.

Gaag, R.J.van der (2003). *Kinder- & jeugdpsychiatrische diagnostiek en classificatie: "samen verdiepen… of koppie onder".* Inaugurele rede Radboud Universiteit Nijmegen.

Gezondheidsraad (1985). *Eerste deeladvies inzake Minimal Brain Dysfunction.* Den Haag: Gezondheidsraad.

Gezondheidsraad (2000). *Diagnostiek en behandeling van ADHD.* Den Haag: Gezondheidsraad.

Gijswijt-Hofstra, M. (2001). Introduction: Cultures of neurasthenia from Beard to the First World War. In Gijswijt-Hofstra, & Porter, R. (Eds.), *Cultures of neurasthenia from Beard to the First World War* (pagina's 1-30). Amsterdam: Rodopi.

Glind, G. van der. (2008). ADHD is een echte ziekte; twijfel doet patiënt tekort. *Trouw*, 31 oktober 2008.

Goei, L. de. (1992). *In de kinderschoenen. Ontstaan en ontwikkeling van de universitaire kinderpsychiatrie in Nederland, 1936-1978.* Utrecht: NcGv.

Goei, L. de. (2001). *De psychohygiënisten. Psychiatrie, cultuurkritiek en de beweging voor geestelijke volksgezondheid, 1924-1970.* Nijmegen: Sun.

Goei, L. de. (2007). Van neuroskliniek tot therapeutische gemeenschap. Het Veluweland van G.W. Arendsen Hein, 1948-1977. In J. Vijselaar et al. (Eds.),

Van streek. Honderd jaar geestelijke gezondheidszorg in Zuid-West Gelderland. Utrecht: Matrijs.

Goozen, S. van (2000). Agressief gedrag bij kinderen: een kwestie van nature of nurture? In J. Vandeputte et al. (Eds.), *Uit de kinderschoenen. 60 jaar Kinder- en Jeugdpsychiatrie UMC-Utrecht.*

Groendendijk, L., & Bakker, N. (2000). Dieptepsychologie en opvoeding. Over de neurotisering van de ouder-kinderrelatie. *Pedagogiek, 20,* 238-254.

Gunning, J.H. (1907). Op het psychiatrisch congres. *Het kind, 8,* 145-147, 153-155.

Gunning, J.H., et al. (1907). De huiswerkquastie. *Het kind, 8,* 26-28, 35-36, 41-43, 49-51, 57-59.

Gunning, W.B. (1996). *Aanpak van kwetsbaarheid?* Inaugurele rede Universiteit van Amsterdam.

Haenen, A.W. (1956). Leer- en gedragsmoeilijkheden van partieel defecte kinderen. In *Het partieel defecte kind* (pagina's 40-50). Rotterdam: Stichting De Koepel.

Hart de Ruyter, Th. (1953). *Over de plaats van de kinderpsychiatrie in de geestelijke Gezondheidszorg:* Openbare les Rijksuniversiteit Groningen.

Hart de Ruyter, Th. (1956). Waarin onderscheidt zich het partieel defecte kind van het normale? In *Het partieel defecte kind.* Rotterdam: Stichting De Koepel.

Hart de Ruyter, Th. (1961). De psychische ontwikkeling van kinderen met lichte hersenbeschadiging. *Nederlands tijdschrift voor geneeskunde, 16,* 745-748.

Hart de Ruyter, Th. (1973). *Ontwikkelingspsychiatrie en preventie van stoornissen in de emotionele ontwikkeling.* Afscheidscollege Rijksuniversiteit Groningen.

Hart de Ruyter, Th., & Kamp, L.N.J. (1972). *Hoofdlijnen der kinderpsychiatrie.* Deventer: Van Loghum Slaterus.

Hierta-Rezius, A. (1908). De ontwikkeling der hersenen en de opvoeding. *Het kind, 9,* 115-118.

Honoré, C. (2009). *Slow kids. Nu zijn de kinderen aan de beurt!* Rotterdam: Lemniscaat.

Horwitz, A.V., & Wakefield, J.C. (2007). *The loss of sadness: how psychiatry transformed normal sorrow into Depressive Disorder.* Oxford: Oxford University Press.

Hutschemaekers, G. (1990). *Neurosen in Nederland. Vijfentachtig jaar psychisch en maatschappelijk onbehagen.* Nijmegen: Sun.

Jelgersma, G.J. (1897). Zenuwinrichtingen. *Psychiatrische en neurologische bladen, 1,* 185-191.

Jelgersma, G.J. (1898). *Leerboek der functioneele neurosen. 1e afdeling. Pathologie en therapie der neurasthenie* (2de druk). Amsterdam: Scheltema & Holkema.

Jelgersma, G.J. (1907). De beschaving als predisponerende oorzaak voor zenuwaan-doeningen. *Het kind*, *8*, 145-147.

Jelgersma, G.J. ([1909]). *Het gevoelsleven van het achterlijke kind*. Leiden: z.n.

Jongedijk, R.A. (2001). Psychiatrische diagnostiek en het DSM-systeem: een kritisch overzicht. *Tijdschrift voor psychiatrie*, *43*, 309-319.

Kalverboer, A.F. (1978). MBD: Discussion of the concept. In A.F. Kalverboer, H.M. van Praag, H.M. & J. Mendlewicz (Eds.), *Minimal Brain Dysfunction: Fact or fiction* (pagina's 5-17). Basel: Karger.

Kerkhoven, A., & Vijselaar, J. (1993). De zorg voor zenuwlijders rond 1900. In G. Hutschemaekers, & C. Hrachovec (Eds.), *Heer en heelmeesters. Negentig jaar zorg voor zenuwlijders in het Christelijk Samatorium te Zeist* (pagina's 27-59). Nijmegen: Sun.

Kessler, J.W. (1980). History of Minimal Brain Dysfuntions. In H.E. Rie (Ed.), *Handbook of Minimal Brain Dysfunctions: a critical view* (pagina's 18-51). New York: Kievits, F., & Adriaanse, M.T. (2007). Toename gebruik methylfenidaat na scheiding ouders. *Nederlands tijdschrift voor geneeskunde*, *151*(7), pagina 1479.

Killen, A. (2006). *Berlin Electropolis. Shock, nerves and German modernity*. Berkeley: University of California Press.

Klasen, H., & Verhulst, F.C. (2005). Betere gezondheidszorg moet mogelijk zijn voor kinderen en adolescenten met aandachtstekort-hyperactiviteitstoornis. *Nederlands tijdschrift voor geneeskunde*, *149*, 1723-1725.

Klootsema, J. (1904). Zenuwleven, beroepskeus en vacanties. *Het kind*, *5*, 98-103.

Klootsema, J. (1904a). *Misdeelde kinderen. Inleiding tot de paedologische pathologie en therapie*. Groningen: Wolters.

Köbben, A.J.F., & Tromp, H. (1999). *De onwelkome boodschap of Hoe de vrijheid van de wetenschap bedreigd wordt*. Amsterdam: Mets.

Knapper, N. (1914). Het zenuwachtige, lastige kind. *Het kind*, *15*, 129-131, 149-152, 156-158, 165-166.

Kooij, J.J.S. (2007). De onderbouwing van de diagnose ADHD begint volwassen vormen aan te nemen. *Tijdschrift voor psychiatrie*, *49*, 301-303.

Krevelen, D.A. van. (1952). *Nederlands leerboek der speciale kinderpsychiatrie. Deel I*. Leiden: Stenfert-Kroese.

Lieshout, I. van (1993). *Deskundigen en ouders van nu. Binding in een probleemcultuur*. Utrecht: De Tijdstroom.

Lockhorn, E. (1981). *Mijn kind is anders. Ouders en specialisten over Minimal Brain Dysfunction (MBD)*. Amsterdam: Meulenhoff.

Matthys, Walter (2009). 'ADHD is geen modeziekte'. *Uniek*, afl. 4, 26-27.

Medicus. (1908). De eerste schooljaren. *Het kind, 9*, 43-44.

Micale, M.S. (1995). *Approaching hysteria. Disease and its interpretations*. Princeton, NJ: Princeton University Press.

Nieweg, E.H. (2000). Van kinderanalyse tot Y-chromosoom. Over eenzijdigheid in de psychiatrie. *Tijdschrift voor psychiatrie, 42*, 887-894.

Nieweg, E.H. (2005). De psychiater in spagaat – over de kloof tussen natuur- en geesteswetenschappelijke psychiatrie. *Tijdschrift voor psychiatrie, 47*, 239-248.

Nieweg, E.H. (2006). ADHD, een 'modeverschijnsel' dat maar niet uit de mode raakt. Een illustratie van de veelzijdigheid van de vroege kinderpsychiatrie. *Tijdschrift voor psychiatrie, 48*, 303-312.

Noordman, J. (1989). *Om de kwaliteit van het nageslacht. Eugenetica in Nederland 1900-1950*. Nijmegen: Sun.

Nyssen, R. (1942). *Leerboek der kinderpsychiatrie en der heilopvoedkundige behandeling*. Antwerpen: De Sikkel.

Obbink, H. (2009). Jongens moeten wennen aan zelfstandigheid. *Trouw*, 24 oktober 2009.

Oosterhuis, H., & Gijswijt-Hofstra, M. (2008). *Verward van geest en ander ongerief. Psychiatrie en geestelijke gezondheidszorg in Nederland (1870-2005)*. Houten: Bohn Stafleu Van Loghum.

P. (1907). De school en het kind. *Het kind, 8*, 10-12.

Pieters, T. (2003). Een eeuw omgang met 'moeilijk en druk' gedrag. *De psycholoog, 38*, 638-644.

Pieters, T., Hennepe, M. te, & Lange, M. de (2002). *Pillen & psyche: culturele eb- en vloedbewegingen. Medicamenteus ingrijpen in de psyche*. Onderzoeksrapport Rathenau Instituut.

Praag, H.M. van (1992). Nosologomanie, een aandoening van de psychiatrie. *Tijdschrift voor psychiatrie, 41*, 703-712.

Prechtl, H.F.R. (1963). *Het cerebraal gestoorde kind*. Openbare les Rijksuniversiteit Groningen.

Prechtl, H.F.R. (1973). Das leicht hirngeschädigte Kind. Theoretische Überlegungen zu einem praktischen Problem. In C. Rümke, P.E. Boeke, & W.K. van Dijk (Eds.), *Van kinderanalyse tot Y-chromosoom* (pp. 282-305). Deventer: Van Loghum Slaterus.

Pronk, I. (2009). 'Grenzeloze generatie is narcistisch'. *Trouw*, 1 december 2009.

Radkau, J. (1998). *Das Zeitalter der Nervösität. Deutschland zwischen Bismarck und Hitler*. München: Hanser.

Rafalovich, A. (2004). *Framing ADHD children. A critical examination of the history, discourse, and every day experience of Attention Deficit/Hyperactivity Disorder.* Lanham: Lexington Books.

Raggers-van der Zaal, P. (1975). Het grote misverstand: een kinderdrama in vele bedrijven. In E.H. Isaac-Edersheim, D.J. de Levita, & W. Strubbe (Eds.), *Opstellen uit de kinderpsychiatrie* (pagina's 219-231). Deventer: Van Loghum Slaterus.

Roelcke, V. (1999). *Krankheit und Kulturkritik. Psychiatrische Gesellschaftsdeutungen im bürgerlichen Zeitalter (1790-1914).* Frankfurt: Campus.

Roelcke, V. (2001). Electrified nerves, degenerated bodies: medical discourses on neurasthenia in Germany, circa 1880-1914. In M. Gijswijt-Hofstra, & R. Porter (Eds.), *Cultures of neurasthenia. From Beard to the First World War* (pagina's 177-197). Amsterdam: Rodopi.

Rosenberg, C.E. (1962), The place of George M. Beard in nineteenth-century psychiatry. *Bulletin of the history of medicine, 36,* 245-259.

Rosenberg, C.E., & Golden, J. (1992). *Framing disease. Studies in cultural history.* New Brunswick: Rutgers University Press.

Rümke, C. (1973). Over organiciteit, zwarte schapen en de broer van de verloren zoon. In C. Rümke, P.E. Boeke, & W.K. van Dijk (Eds.), *Van kinderanalyse tot Y-chromosoom* (pagina's 217-225). Deventer: Van Loghum Slaterus.

Rümke, C., & Hart de Ruyter, Th. (1960). *Het nerveuze kind* (deel 4 in de serie 'Het ABC der opvoeding' onder redactie van Th. Hart de Ruyter & R. Schulte Nordholt-Trep). Nijkerk: Callenbach.

Rümke, H.C. (1943). *Studies en voordrachten over de psychiatrie.* Amsterdam: Scheltema & Holkema.

Sadowsky, Jonathan Hal (2006). Beyond the metaphor of the pendulum: electro-convulsive therapy, psychoanalysis, and the styles of American psychiatry. *Journal of the history of medicine and allied sciences, 61,* 1-25.

Sandberg, S., & Barton, J. (2002). Historical development. In S. Sandberg (Ed.), *Hyperactivity and attention disorders of childhood* (2nd ed.) (pagina's 1-29). Cambridge: Cambridge University Press.

Sanders-Woudstra, J.A.R. (1976). *Kinderpsychiatrie in perspectief.* Inaugurele rede Erasmus Universiteit Rotterdam.

Schachar, R.J. (1986). Hyperkinetic syndrome: historical development of the concept. In E.A. Taylor (Ed.), *The overactive child* (pagina's 19-40). Londen:

Schreuder, A.J. (1908). Zenuwachtige kinderen in hun eerste levensjaren. *Het kind, 9,* 108-110, 113-114.

Slijkhuis, J. (2001). Neurasthenia as Pandora's Box? 'Zenuwachtigheid' and Dutch psychiatry around 1900. In M. Gijswijt-Hofstra, & R. Porter (Eds.), *Cultures of neurasthenia from Beard to the First World War* (pagina's 257-278). Amsterdam: Rodopi.

Soest, H. van, & Wiggers Y. (2008). "Wij vragen teveel van onze kinderen". *Algemeen Dagblad*, 5 april 2008.

Steeman, P. (2009). 'ADHD' is geen modeziekte. *Uniek*, afl. 4, pagina's 26-27.

Steeneman, J., Vandormael, J., & Coolen, J. (2004). *Kind in de knel. Ontwikkelingsstoornissen in de praktijk van de jeugdzorg: samen-werken.* Antwerpen: Garant.

Stichting Farmaceutische Kengetallen (2007). Spectaculaire toename ADHD-middelen. *Pharmaceutische weekblad 142* (29/30).

Stichting Farmaceutische Kengetallen (2008). Explosieve groei ADHD-middelen zet door. *Pharmaceutische weekblad, 143* (29/30).

Still, G.F. (2004). The Goulstonian lectures on some abnormal psychical conditions in children. In Verhulst, F.C., & Treffers, Ph.D.A. (Eds.), *Klassiekers van de kinder- en jeugdpsychiatrie* (pp. 58-97). Assen: 2004.

Swaan, A. de. (1979). Inleiding. In A. de Swaan, C, Brinkgreve, & J.H. Onland, *De opkomst van het psychotherapeutisch bedrijf* (pagina's 10-33). Utrecht: Spectrum.

Swaan, A. de. (1989). *Zorg en de staat. Welzijn, onderwijs en gezondheidszorg in Europa en de Verenigde Staten in de nieuwe tijd.* Amsterdam: Bakker.

Terpstra, I., & Paternotte, A. (2009). Een kind met ADHD verdient een aparte klas. *Trouw*, 27 oktober 2009.

Tibout, P.H.C. (1950). *Over het onderzoek en de behandeling van kinderen met afwijkend gedrag. Psychiatrisch-sociale beschouwingen* (2de druk). Purmerend: Muusses.

Vandereycken, W. (2006). Over bittere en vergulde pillen: psychiatrie in het licht (of de schaduw) van de farmaceutische industrie. *Tijdschrift voor psychiatrie, 48*, 119-129.

Vandereijcken, W. & Deth, R. van (2006). *Psychiaters te koop? De invloed van de farmaceutische industrie op het psychiatrisch denken en handelen.* Antwerpen:

Vedder, R. (1938), *Waarom niet als andere kinderen?* Kampen: Kok.

Vedder, R. (1958), *Kinderen met leer- en gedragsmoeilijkheden.* Groningen: Wolters.

Vedder, R. (1974). *Kinderen met leer- en gedragsmoeilijkheden* (8ste herziene druk). Groningen: Wolters-Noordhoff.

Vedder, R. (1983). *Kinderen met leer- en gedragsmoeilijkheden* (10de gewijzigde druk). Groningen: Wolters-Noordhoff.

Vegt, M., et al. (2007). Psychiatrische en neurologische kenmerken van een groep volwassenen verwezen naar een academische polikliniek voor ADHD. *Tijd-schrift voor psychiatrie, 49*, 289-299.

Velde, H. te (1989). "In onzen verslapten tijd met weke hoofden". Neurasthenie, *fin-de-siècle* en liberaal Nederland. *De Gids, 152*, 14-24.

Verberg, G.M. (1986). *The effects of psychopharmacological agents – especially stimulant – in hyperactive children, including some remarks on the use of the MBD concept.* Alblasserdam: Vijselaar, J. (2001). Neurasthenia in the Netherlands. In M. Gijswijt-Hofstra, & R. Porter (Eds.), *Cultures of neurasthenia from Beard to the First World War* (pagina's 239-255). Amsterdam: Rodopi.

Vijselaar, J. (2007). *Psyche en elektriciteit.* Inaugurele rede Universiteit Utrecht.

Visscher, G.J. (1908). Een lastig geval? *Het kind, 9*, 37-39.

Vos, J. (2007). Herstellingsoord Lunteren. Van zenuwziekte tot psychosociale problematiek. In J. Vijselaar et al. (Eds.), *Van streek. 100 jaar geestelijke gezond-heidszorg in Zuid-West Gelderland* (pagina's 94-129). Utrecht: Matrijs.

Waardt, H. de (2005). *Mending minds. A cultural history of Dutch academic psychiatry.* Rotterdam: Erasmus.

Waterink, J. (1938). *De opvoedbaarheid der kinderlijke intelligentie.* Wageningen: Publicaties uit het laboratorium voor paedologie en psychotechniek der Vrije Universiteit te Amsterdam.

Waterink, J. (1950). *Het neurotische kind* [s.l.; s.n.].

Waterink, J. (1956). *De schooljaren der kinderen: samenspel van school en gezin.* Kampen: Kok.

Weeda, Frederiek (2008). ADHD is een volksziekte. Moderne leven biedt minder ruimte aan afwijkend gedrag. *NRC Handelsblad*, 20 mei 2008.

Weijers, I. (2007). *De creatie van het mondige kind. Geschiedenis van pedagogiek en jeugdzorg* (4de herziene druk). Amsterdam: SWP.

Winter, M. de (2010). De 'Survival of the Fittest Child': over Rust, Reinheid, Regelmaat en Rouvoet. In W. Koops, B. Levering, & M. de Winter (Eds.), *Darwin, geschiedenis en opvoeding* (pagina's 129-141).

Wubs, J. (2010). Opvoeden moet je leren!? Luisteren naar deskundigen 1945-2008. In W. Koops, B. Levering, & M. de Winter (Eds.), *Darwin, geschiedenis en opvoeding* (pagina's 115-127). Amsterdam: SWP.

Wurff, A. van der. (1990). "Niet zoo maar een mening, doch een welbewust gegeven psychiatrisch advies": Medisch Opvoedkundige Bureaus in Nederland 1928-1980. In Vijselaar, J. (Ed.), *Ambulant in zicht* (83-102). Utrecht: NcGv.

BIJLAGE: **ADHD VOLGENS DE DSM-IV-TR**[1]

De DSM-IV-TR kent drie subtypes van ADHD

- Het overwegend onoplettende type: er is vooral sprake van ernstig en aanhoudend aandachtstekort.
- Het overwegend hyperactief-impulsief type: er is vooral sprake van ernstige en aanhoudende impulsiviteit en hyperactiviteit.
- Het gecombineerde type: beide soorten problemen komen samen voor; dit is het meest voorkomende type.

Diagnose ADHD volgens de DSM-IV-TR[2]

A. Ofwel (1), ofwel (2)

(1) Zes of meer van de volgende symptomen van *aandachtstekort* zijn gedurende ten minste zes maanden aanwezig geweest in een mate die onaangepast is en niet past bij het ontwikkelingsniveau:

Aandachtstekort

(a) Slaagt er vaak niet in voldoende aandacht te geven aan details, maakt achteloos fouten in schoolwerk, werk of bij andere activiteiten.

(b) Heeft vaak moeite de aandacht bij taken of spel te houden.

(c) Lijkt vaak niet te luisteren als hij/zij direct aangesproken wordt.

(d) Volgt vaak aanwijzingen niet op en slaagt er vaak niet in schoolwerk, karweitjes af te maken of verplichtingen op het werk na te komen (niet het gevolg van oppositioneel gedrag of van het onvermogen om aanwijzingen te begrijpen).

(e) Heeft vaak moeite met het organiseren van taken en activiteiten.

(f) Vermijdt vaak, heeft een afkeer van of is onwillig zich bezig te houden met taken die een langdurige geestelijke inspanning vereisen (zoals school- of huiswerk).

(g) Raakt vaak dingen kwijt die nodig zijn voor taken of bezigheden (bijvoorbeeld speelgoed, huiswerk, potloden, boeken of gereedschap).

(h) Wordt vaak gemakkelijk afgeleid door uitwendige prikkels

(i) Is vaak vergeetachtig bij dagelijkse bezigheden.

(2) Zes of meer van de volgende symptomen van *hyperactiviteit-impulsiviteit* zijn gedurende ten minste zes maanden aanwezig geweest in een mate die onaangepast is en niet past bij het ontwikkelingsniveau:

Hyperactiviteit

(a) Beweegt vaak onrustig met handen of voeten, of draait in zijn/haar stoel.

(b) Staat vaak op in de klas of in andere situaties waar verwacht wordt dat men op zijn plaats blijft zitten.

(c) Rent vaak rond of klimt overal op in situaties waarin dit ongepast is (bij adolescenten en volwassenen kan dit beperkt zijn tot subjectieve gevoelens van rusteloosheid).

(d) Kan moeilijk rustig spelen of zich bezighouden met ontspannende activiteiten.

(e) Is vaak 'in de weer' of 'draaft maar door'.

(f) Praat vaak aan een stuk door.

Impulsiviteit

(g) Gooit het antwoord er vaak al uit voordat de vragen afgemaakt zijn.

(h) Heeft vaak moeite op zijn/haar beurt wachten.

(i) Verstoort vaak bezigheden van anderen of dringt zich op (bijvoorbeeld mengt zich zomaar in gesprekken of spelletjes).

B. Enkele symptomen van hyperactiviteit-impulsiviteit of onoplettendheid die beperkingen veroorzaken waren voor het zevende jaar aanwezig.

C. Enkele beperkingen uit de groep symptomen zijn aanwezig op twee- of meer terreinen (bijvoorbeeld op school (of werk) en thuis).

D. Er moeten duidelijke aanwijzingen van significante beperkingen zijn in het sociale, school- of beroepsmatige functioneren.

E. De symptomen komen niet uitsluitend voor in het beloop van een pervasieve ontwikkelingsstoornis, schizofrenie of een andere psychotische stoornis en zijn niet eerder toe te schrijven aan een andere psychische stoornis (bijvoorbeeld stemmingsstoornis, angststoornis, dissociatieve stoornis of een persoonlijkheidsstoornis).

Noten bijlage

1. Overgenomen uit: Brandt-Dominicus, ed., *Multidisciplinaire richtlijn ADHD*) 17-18.
2. Geadviseerd wordt de DSM-criteria alleen toe te passen op de leeftijdsklasse van 4 tot 16 jaar.

Colofon

Van zenuwachtig tot hyperactief
Andere kijk op ADHD
Timo Bolt

ISBN 978 90 8850 111 1
NUR 740

Foto omslag
© Lisa Presley (Bigstockphoto.com)

Omslagontwerp
Jorrit Schaap

Vormgeving binnenwerk
Merel van Dam, Uitgeverij SWP

Uitgever
Ingrid de Jong

Voor informatie over overige uitgaven van Uitgeverij SWP:
Postbus 257, 1000 AG Amsterdam
Telefoon: (020) 330 72 00
Fax: (020) 330 80 40
E-mail: swp@mailswp.com
Internet: www.swpbook.com